VAUGHAN PUBLIC LIBRARIES     BCRL

3 3288 50066062 8     MAY 2016

D1373626

Les Éditions du Boréal
4447, rue Saint-Denis
Montréal (Québec) H2J 2L2
www.editionsboreal.qc.ca

# MOURIR,
## MAIS PAS TROP

DU MÊME AUTEUR

*Onze petites trahisons,* nouvelles, Boréal, 2010 ; coll. « Boréal compact », 2011.

Agnès Gruda

# MOURIR,
# MAIS PAS TROP

*nouvelles*

Boréal

© Les Éditions du Boréal 2016
Dépôt légal : 1<sup>er</sup> trimestre 2016
Bibliothèque et Archives nationales du Québec

Diffusion au Canada : Dimedia
Diffusion et distribution en Europe : Volumen

ISBN PAPIER 978-2-7646-2428-9
ISBN PDF 978-2-7646-3428-8
ISBN EPUB 978-2-7646-4428-7

*Devant ma tombe, ne pleure pas,*
*Je ne suis pas morte, je n'y suis pas.*

MARY ELIZABETH FRYE,
*Do Not Stand at My Grave and Weep*
(traduction libre)

*La chambre froide*

Il y a eu une détonation sourde, suivie de deux séries de crépitements. J'ai d'abord pensé à des feux d'artifice, puis à des pétards que des gamins auraient allumés dans la rue à côté de l'hôtel.

Autour de la table, personne n'a bronché. À ma droite, le chef australien chuchotait à l'oreille de sa compagne, une sommelière hongroise avec des lunettes excentriques et des cheveux platine coupés au ras du crâne. Ces deux-là ne se quittaient pas des yeux, comme s'ils venaient tout juste de se rencontrer et qu'ils n'y croyaient pas encore tout à fait.

En face de moi, une critique gastronomique allemande s'appliquait à corriger son maquillage, les yeux rivés sur son miroir de poche. Le journaliste new-yorkais avec qui je venais d'échanger quelques mots distraits discutait avec une femme de la table voisine, en prenant des notes. D'autres convives tapaient sur le clavier de leurs téléphones, indifférents au bataillon de serveurs qui quadrillaient la salle de bal avec leurs chemises immaculées, leurs gilets de satin et leurs nœuds papillon.

Après deux journées d'exposés et de dégustations, un sentiment de lassitude accablait les invités de cette conférence de haute cuisine où j'étais parvenue à me faire accréditer en me faisant passer pour la collaboratrice d'un magazine spécialisé qui n'existait, en réalité, que dans mon imagination. Ma publication se résumait en fait à un obscur blogue suivi par une poignée de fans, essentiellement des parents et amis. Et ma présence à cette table, où une forêt de flûtes de champagne venait de se poser entre des assiettes garnies de bouchées aériennes, relevait d'un pur miracle.

L'événement devait culminer, ce soir-là, avec la distribution de prix honorant les meilleurs chefs de l'année, suivie d'une réception. Tout occupés à déplier leurs serviettes de table, replacer leurs chaises ou consulter le menu du gala, les deux mille représentants de l'élite de la gastronomie mondiale prêtaient peu attention au maître de cérémonie qui glissait vers la scène d'un pas fluide, un plateau d'amuse-gueule à la main.

Quand la deuxième salve a retenti, il venait tout juste de se placer derrière le micro et s'apprêtait à saluer l'assistance. Mais ses tout premiers mots se sont noyés dans le claquement sourd et prolongé des coups de feu. Il s'est immobilisé avant de tendre son bras libre vers son plateau, comme s'il avait voulu protéger ses tapas. Puis il s'est affaissé sur la scène dans une cascade de porcelaine fracassée.

Cette fois, toutes les têtes se sont détachées des écrans. L'Australien m'a fixée, stupéfait : « *What was that?* » Il y a eu un instant de silence incrédule, un silence lourd, épais, presque palpable. Puis, une odeur de poudre brûlée et des sons qui ressemblaient à des gémissements.

Pendant une fraction de seconde, mon cerveau a refusé d'identifier cette odeur et ces sons. Ce qui était en train de se passer ne se pouvait pas. Ce n'était qu'une mise en scène, une entrée en matière d'un goût douteux qui nous serait expliquée incessamment, pour nous ramener à la rassurante futilité de cette conférence internationale rassemblant deux mille chefs dans un hôtel cinq étoiles, au cœur d'une grande capitale européenne.

Mais ce n'était pas du théâtre. Ou alors si, sauf que nous n'étions pas les spectateurs de la pièce, mais ses protagonistes. À l'entrée de la salle, une voix d'homme a hurlé des mots indistincts, avant d'éclater d'un rire sauvage, guttural. Et alors je les ai vus avancer, de la porte principale qui donnait sur le lobby de l'hôtel, mais aussi depuis les deux portes latérales, des hommes cagoulés qui affluaient vers la scène. Ils progressaient avec lenteur, s'arrêtant parfois pour tirer au sol ou en l'air, sans aucune logique apparente. Ils marchaient, imperturbables, avec leurs fusils automatiques et leurs anoraks noirs.

J'ai senti mon sang se retirer de mon corps, telle une vague au reflux de la marée. Puis une onde froide et impassible s'est répandue sous ma peau. Une voix dans ma tête a dit : ils se couvrent le visage, c'est bon signe, ils ne veulent pas être reconnus par les survivants, ça veut dire qu'il y aura des survivants.

En réalité, tu n'en sais rien, a argumenté la voix. Puis : c'est bien, tu es calme, tu es sous le coup de l'adrénaline, maintenant agis.

J'ai plongé sous la table où mes yeux ont croisé ceux, hagards, de l'Australien. La sommelière hongroise venait de pousser un hurlement aigu au-dessus de nous. « *What do you want? Who are you? Who are you?* »

Puis sa voix s'est éloignée, se dissolvant dans d'autres cris, d'autres coups de feu. Le chef australien s'est approché du bord de la table pour soulever la nappe, comme s'il avait voulu bondir à la rescousse de sa compagne. Mais le journaliste new-yorkais l'a empoigné en ordonnant : « *Don't move, stay here and wait.* »

L'Australien n'a pas résisté. Il s'est accroupi, a noué ses bras autour de ses jambes, se balançant d'avant en arrière en faisant bouger ses lèvres, comme s'il priait.

Notre univers se résumait à cet abri illusoire, ce cercle bordé d'un rideau de coton empesé. J'y étais réfugiée depuis une minute ou depuis l'éternité. Pour la première fois de ma vie, j'ai cru percevoir l'odeur âcre et pénétrante de la peur. Là, sous cette table où, à peine quelques instants plus tôt, je m'apprêtais à tremper les lèvres dans une flûte de champagne, espérant que les bulles me donneraient le courage de surmonter mon sentiment d'imposture et de tenir mon rôle de critique gastronomique jusqu'à la fin de la soirée.

Mais cet événement international dont j'espérais profiter pour lancer ma carrière avait maintenant perdu toute réalité. Il n'y avait plus ni chefs, ni invités, ni critiques, ni serveurs. Seulement des centaines d'êtres humains en proie à une frayeur animale.

L'Australien respirait fort, sa poitrine se soulevait

en laissant fuser des couinements aigus. Le journaliste américain essayait de l'apaiser en lui serrant le bras. Le bruit de bottes et les voix rauques se rapprochaient de nous. Il y a eu d'autres tirs, suivis d'une accalmie. C'est alors que la voix qui parlait dans ma tête m'a adjurée de bouger. Fuis, maintenant, c'est le moment.

Notre table portait le numéro 87, elle se trouvait au fond de la salle, à trois rangées du mur. J'ai respiré profondément avant de ramper à toute vitesse jusqu'à la table 86, puis vers la 85. En chemin, un bout de verre cassé s'est logé dans la paume de ma main. Je n'ai ressenti aucune douleur, mais j'ai dû m'arrêter le temps de nouer une serviette autour de ma plaie.

Puis j'ai poursuivi ma fuite en longeant le mur à genoux, me réfugiant occasionnellement sous des tables où je croisais des visages pétrifiés, des corps trempés de sueur, recroquevillés et frissonnants.

Il m'arrivait de sentir un souffle, une présence à mes côtés. Mais pas un seul mot n'a été échangé pendant notre retraite. C'était chacun pour soi et à chacun sa stratégie. Je n'avais qu'une idée : survivre. En réalité, il ne s'agissait pas tout à fait d'une idée, mais d'une sorte de commandement organique, un ordre venu du tréfonds de mon corps. Avance. Cours. Sauve-toi.

Tout s'est déroulé très vite ou très lentement, je ne sais plus. Le temps n'avait plus de consistance. À un moment, les cris, les tirs et les râles ont repris. Je me suis roulée en boule sous une table en guettant le prochain apaisement. Quand j'ai levé la tête, j'ai vu une femme me faire un signe de la main comme pour dire : ne bouge pas, reste ici. J'ai détourné les yeux. J'étais seule et j'avais ma vie entre mes mains.

L'accalmie suivante m'a permis de parcourir quelques dizaines de mètres avant de rejoindre une porte tournante donnant accès à une pièce réfrigérée où des assiettes prêtes à être servies s'alignaient sur des comptoirs de granit. Que des plats figés dans l'immobilité et pas un souffle de vie. C'était Pompéi.

Les cris et les tirs venaient de recommencer dans la salle de bal. Je devais reprendre ma course. Mon cœur se débattait dans ma poitrine, on aurait dit un organe étranger, un animal fuyant son prédateur. En même temps, j'étais suspendue au-dessus de moi, obéissant à cette voix qui dictait mes gestes.

À l'extrémité de la salle réfrigérée, j'ai aperçu une porte blanche qui se confondait avec le mur, blanc lui aussi. Elle devait déboucher sur les cuisines de l'hôtel, accessibles depuis un couloir par lequel j'espérais rejoindre la porte arrière – celle qui donnait sur le parking et que j'avais repérée lors de ma promenade matinale.

Mais des hurlements, des détonations et des bruits de pas lourds venaient d'éclater de ce côté-là aussi. Ma fuite se terminait ici. J'étais prise en étau. J'ai observé la pièce : des comptoirs juchés sur des pilotis métalliques surmontaient un espace de rangement haut de quelques dizaines de centimètres. Des oignons, des pommes de terre et des tubercules de tout genre y étaient empilés dans des bacs de plastique.

Les bruits de talon sur le sol, le claquement des

chargeurs et les cris paraissaient maintenant tout près. Respire lentement, réfléchis, déconne pas. Concentre-toi. Il n'y avait pas d'autre choix : je devais m'enfouir sous un comptoir.

J'ai tiré les boîtes de plastique, les unes après les autres, en les soulevant pour éviter qu'elles ne grincent sur le plancher. L'espace dégagé était suffisant pour que je m'y love, à condition de bien caler mon dos contre le mur et de ramener mes genoux contre mon ventre. J'étais en train de dresser un paravent de carottes, d'oignons et de topinambours devant mon abri quand je l'ai vu, lui.

Sous le comptoir qui me faisait face, derrière l'îlot central, deux yeux noirs perçaient ce qui m'est apparu comme un visage juvénile, le visage d'un adolescent dont le menton était à peine ombragé par ce qui n'était encore qu'une promesse de barbe.

Ses genoux repliés saillaient hors de son compartiment de légumes racines. Il n'avait pas réussi à bien aligner les boîtes de rangement autour de lui. Si jamais les tueurs entraient dans la pièce, ils n'auraient aucune difficulté à le repérer. Forcément, ils m'apercevraient, moi aussi.

À le voir ainsi, ses yeux jetant des éclairs parmi les betteraves et les navets, j'ai pris conscience de notre vulnérabilité. Sa cachette ne cachait rien du tout. La mienne non plus. Mais c'était ça ou rien du tout.

J'ai tâté mon épaule pour me rendre compte que dans ma fuite, j'avais égaré mon sac à main. Je n'osais imaginer ce qui arriverait si quelqu'un devait associer mes papiers d'identité avec une victime. Les coups de fil à ma famille, la panique, les pleurs. Puis, j'ai senti mon téléphone vibrer avec insistance dans la poche de mon veston.

C'était sûrement ma mère, ma sœur, mon frère ou un de mes amis, enfin, un de ceux devant qui je m'étais vantée d'avoir réussi ce tour de force, me faire accréditer pour ce congrès international qui allait transformer ma vie. J'ignorais, alors, à quel point ce serait vrai...

Tous mes proches devaient se ronger les sangs et chercher à se rassurer sur mon sort. L'idée de leur inquiétude m'était intolérable. Mais elle confirmait aussi que la nouvelle de l'attaque était maintenant publique. Que ce cauchemar existait vraiment et que j'étais réellement plongée dedans.

Le silence, à nouveau, ponctué par le souffle d'un climatiseur, la respiration du jeune homme et les vibrations de mon cellulaire. Le gamin me fixait de ses yeux charbon en clignant des paupières, avec insistance. Il semblait vouloir dire quelque chose. Sans doute me demandait-il d'éteindre mon appareil.

J'aurais voulu répondre ne serait-ce qu'une fois, prendre ne serait-ce qu'un seul appel, entendre une voix familière, rassurer une seule personne, ma mère ou ma sœur, dire que j'étais toujours là, que tout allait bien; enfin, que je respirais, que mon cœur battait à une vitesse démentielle et que je tremblais de froid dans une pièce glaciale, autant de preuves de mon état de vivante.

Mais le garçon avait raison : il ne fallait pas. J'ai tâté dans ma poche, en me contorsionnant. Pendant que je cherchais le bouton pour désactiver l'appareil, celui-ci vibrait toujours entre mes mains. Cette vibration, c'était le dernier lien qui me rattachait à mes proches, à ma vie d'avant, à la normalité qui nous permet de parler à qui on veut, quand on veut, de rire et de bouger sans craindre de tomber sous une pluie de balles.

J'ai repéré le bouton sous mes doigts et j'ai appuyé jusqu'à ce que le portable cesse de vibrer. C'était comme si son cœur avait arrêté de battre. Il n'y avait plus qu'ici, maintenant.

De son compartiment, le garçon m'a souri brièvement, avec un léger mouvement de la tête, comme s'il voulait me dire : merci. Mais peut-être que je l'imaginais. La sueur ruisselait sur son front, il devait être mort de frayeur.

J'aurais voulu le rassurer, lui dire que tout irait bien, que nous nous en sortirions tous les deux, même si ça me paraissait de plus en plus improbable. J'ai pensé lever le pouce, comme on fait quand on veut féliciter quelqu'un. Mais dans ma position inconfortable, n'importe quel mouvement risquait de provoquer une catastrophe, je pouvais faire chuter des casseroles, des ustensiles, des carottes ou des navets, provoquer une avalanche qui attirerait l'attention des tueurs.

Alors j'ai levé mes yeux vers l'adolescent. J'ai pensé à mon petit frère, qui avait à peu près le même âge que lui et qui devait être dévoré par l'inquiétude. J'ai essayé de leur envoyer, à tous deux, des pensées réconfortantes. J'ai songé à des plages et à des vagues éclaboussées de soleil, dressé mentalement la liste de toutes les îles et de tous les bords de mer que j'avais eu le bonheur de visiter dans ma vie. Cape Cod. Caroline du Nord. Bassin d'Arcachon. Puerto Angel. Jacmel. Et cette petite plage isolée sur l'île de Kos, en Grèce. Des plages grises ou dorées, de sable ou de galets, où j'avais nagé, dormi, lu, embrassé, et même fait l'amour quelques fois, à l'abri des dunes.

Puis j'ai été projetée au-delà des pensées, dans des sensations primaires de sable chaud, de peau salée, d'eau tiède et bleue, paisible à l'infini. Images de fragments de soleil qui s'éparpillent sur la mer, avant de briller de cet ultime éclat vert censé réaliser tous nos désirs.

Un vacarme redoublé derrière la porte blanche, celle qui donnait sur les cuisines de l'hôtel, m'a arrachée à cette étrange méditation.

De nouvelles voix nous parvenaient de loin, comme si elles avaient dû traverser plusieurs murs avant d'arriver jusqu'à nous. « Allongez-vous au sol. Laissez tomber vos armes. Police. Police. »

Un coup de feu. Un autre. Des claquements métalliques, des bruits de portes défoncées.

Puis, tout à coup, une détonation. Une secousse. Des assiettes qui tombent, des légumes qui déboulent sur le sol, la fumée qui envahit la pièce après que la porte a été arrachée par la déflagration.

C'est fou comme notre cerveau roule vite quand tout s'écroule autour de nous. J'ai pensé : c'est un assaut policier et les assassins en noir vont venir se réfugier ici, avec nous. Les chances qu'ils ne nous découvrent pas sont infimes. Inexistantes. Nous sommes fichus.

Lorsque j'ai levé les yeux vers l'adolescent, j'ai vu une émotion nouvelle passer sur son visage. Ce n'était plus seulement de la peur. Non, on aurait plutôt dit une hésitation. Il fronçait les sourcils et se mordillait les lèvres, en se tortillant dans son réduit à légumes. Comme s'il ne craignait plus d'attirer l'attention. Comme s'il avait attendu ce moment depuis le début.

Il semblait fixer un point au-delà de moi, comme s'il ne me voyait plus. C'est quand il a levé le bras pour s'essuyer le front avec sa manche que j'ai vu le fil rouge dépassant de sa veste. Un fil électrique qui remontait vers sa poitrine.

Il a vite rabattu son vêtement, mais j'avais eu le temps de comprendre : il faisait partie d'eux, du commando noir qui accomplissait son œuvre de mort, au nom de quelque dieu funeste et exigeant. Mais peut-être avait-il changé d'idée ? Peut-être s'était-il réfugié dans cette chambre froide pour échapper à son sort ?

Après tout, il n'était qu'un enfant. Il était bien trop jeune pour mourir. Quoique sa présence improbable dans ce réduit à légumes puisse aussi faire partie du plan. Peut-être devait-il en bondir à un moment précis pour semer l'horreur et la désolation.

Dans tous les cas, il n'avait qu'à actionner son détonateur pour nous emporter, tous les deux. D'où venait-il ? Qui était-il ? Et qui étaient donc les barbares qui avaient transformé en kamikaze un enfant de seize ou dix-sept ans, un garçon qui ressemblait à quelques détails près à mon petit frère ?

Des sirènes ont hurlé, puis il y a eu des bruits de pas,

beaucoup de pas, des ordres, des cris. « Donnez-nous un numéro de téléphone », a hurlé une voix. Son propriétaire peinait à entendre la réponse. « Vous avez dit cinq ou sept ? »

Puis, plus rien, plus aucun bruit, silence. Le garçon a repris sa position immobile et j'essayais d'oublier le fil électrique qu'il portait sous sa veste. Je présumais qu'il ignorait que je savais. Et que c'était notre dernière chance, à tous deux. Il n'était qu'à quelques mètres de moi. S'il se faisait exploser, je sauterais avec lui. Il avait le pouvoir de devenir mon sauveur ou mon assassin.

Le silence, toujours. Nous n'avions plus aucun indice pour décoder ce qui se passait à l'extérieur de la chambre froide. C'était Pompéi pour toujours. Je me suis alors accrochée aux yeux du garçon comme à une bouée. Comment le convaincre de ne pas activer sa charge ? Par quels moyens ? Et comment transmettre ce message sans dire un mot, sans émettre un son ?

Je n'avais pas la moindre idée de la manière dont il fallait aborder un être dressé pour tuer et se donner la mort, j'ignorais comment m'y prendre pour le convaincre que sa mission suicidaire ne le conduirait pas au paradis. Qu'elle était absurde, insensée, qu'il n'était qu'un instrument entre les mains de ses assassins. De *nos* éventuels assassins.

Mais en réalité, il pouvait bien se faire exploser, ce qui m'importait surtout, c'était d'éviter de le suivre dans ce voyage vers le néant. Il m'arrivait régulièrement, à cette époque, de m'interroger sur l'utilité de mon existence. À trente-deux ans, je n'avais pas encore réussi à trouver mon point d'ancrage, pas de vraie carrière, pas de véritable amoureux, pas d'enfants non plus. Avec toutes ces zones floues, ma vie flottait autour de moi comme un vêtement trop ample, comme si je n'avais pas vraiment su comment l'habiter. Mais certainement pas au point de vouloir en finir. Au contraire, j'avais encore tant de choses à faire, tant d'expériences à vivre. L'essentiel était devant moi. Pour moi, la mort était hors de question. C'était une aberration.

Nous attendions toujours et le temps se remplissait de pensées chaotiques, courant dans toutes les directions à la fois. Les narines du kamikaze palpitaient légèrement, ses sourcils se rejoignaient au-dessus de l'arête de son nez, ses lèvres étaient roses et pleines et je me suis demandé si à son âge, il avait déjà eu l'occasion d'embrasser une fille.

Puis j'ai songé qu'en d'autres circonstances, j'aurais pu le trouver beau. Qu'il aurait pu me plaire. Que ce serait dommage qu'il meure sans avoir jamais embrassé une fille. Et puis oui, croyez-le ou non, j'ai brièvement imaginé la sensation de ses lèvres sur les miennes.

Jamais, de toute ma vie, je n'avais observé un visage avec une telle concentration, attentive au moindre détail. Et, après avoir terminé l'inventaire de ses traits, dans un mouvement totalement irréfléchi, j'ai fait le geste le plus loufoque qui soit. J'ai redressé ma lèvre supérieure et abaissé ma lèvre inférieure, plaçant ma bouche en diagonale pour lui donner la forme d'un bec de canard.

Spontanément, presque indépendamment de ma

volonté, ma bouche a dessiné cette grimace. C'était totalement bête, et c'était peut-être assez pour inciter mon possible tueur à passer à l'acte et à faire détoner sa charge. Allez donc savoir ce qui se passe dans la tête d'un kamikaze dans les secondes qui précèdent sa mort.

Mais non. L'adolescent a souri, légèrement, d'abord avec les yeux, puis avec les lèvres. Il a recouvert sa bouche, comme pour réfréner ce sourire. Quand il a retiré sa main, ses joues avaient aspiré ses lèvres pour former un goulot charnu et repoussant. Sa grimace en réponse à la mienne. Nous avons continué ce jeu étrange pendant quelques minutes. J'ai touché le bout de mon nez avec ma langue. Il a louché en tirant la sienne. J'ai gonflé mes joues en écarquillant les yeux. Et là, au milieu de ce silence effrayant, après les détonations, les coups de feu, les gémissements et les cris, nous avons tous les deux été saisis d'un fou rire. Un rire absurde et incongru jailli au milieu de l'horreur. Le rire de deux condamnés à mort qui n'ont plus grand-chose à perdre, mais qui espèrent encore que la corde se cassera sous le poids de leur corps, leur laissant la vie sauve.

Car j'étais maintenant convaincue que cet adolescent qui me faisait penser à mon jeune frère éprouvait au fond de lui une féroce envie de vivre. Qu'un cousin, un voisin ou un prédicateur lui avait bourré le crâne pour l'inciter à entrer dans cet hôtel de luxe et à s'y faire exploser, en faisant le plus de victimes possible.

Mais on ne se suicide pas avec conviction quand on est capable de se livrer à un match de grimaces.

De l'autre côté du mur, tout près de nous maintenant, une voix a crié « *Allahou Akbar* », puis nous avons entendu une nouvelle déflagration. Des particules indistinctes ont volé en un feu d'artifice dans la pièce réfrigérée. Je ne comprenais plus rien à ce que je voyais, j'avais envie de vomir, j'avais envie de vivre, j'avais peur d'être déjà morte, j'avais une envie furieuse de rentrer chez moi.

Quand les policiers ont fait irruption dans la chambre froide, j'essayais de me soulever au milieu du carnage, mais mes jambes ont plié et je me suis effondrée sur le sol. Deux hommes ont accouru pour me soutenir. Enveloppée dans une couverture de survie, je les ai laissés me porter à travers la cuisine, jusqu'au couloir transformé en hôpital de guerre. Au moment de quitter la pièce réfrigérée, j'ai jeté un dernier coup d'œil vers le garçon aux yeux charbon qui s'extirpait maladroitement de sa cachette, avec sa veste qui le faisait paraître plus costaud qu'il ne l'était en réalité.

Il m'a fixée une dernière fois de son regard sombre, puis il m'a adressé un clin d'œil. C'était sa manière de me dire adieu.

D'autres policiers, ignorant qui il était, se sont élancés vers lui pour lui porter secours. J'aurais peut-être dû les prévenir, j'aurais sans doute pu donner l'alerte, mais j'étais convaincue que le garçon avait finalement choisi de vivre.

Et puis, tout est arrivé si vite. Tandis que des secouristes m'auscultaient pour vérifier si j'avais été blessée et si je nécessitais des soins hospitaliers, tandis que des dizaines de messages clignotaient furieusement sur l'écran de mon téléphone ressuscité et que mes doigts tremblants essayaient d'y répondre, une nouvelle secousse a fait trembler les murs de l'hôtel, tuant sur le coup deux policiers, une infirmière et deux secouristes. Tuant aussi, en même temps, un gamin bardé d'explosifs qui s'était amusé à faire des grimaces quelques minutes avant de mourir.

Et qui avait choisi de ne pas m'emmener avec lui.

*Si tu meurs, je te tue*

Le visage de Fred a surgi sur ma page Facebook avec ce message : « Fred vous envoie une demande d'amitié. »

Il y a eu quelques secondes de flottement avant que je ne laisse ces mots prendre tout leur sens. Puis, un moment d'incrédulité. Je n'arrivais pas à y croire. Mais c'était bien lui. Fred.

D'après la photo, il avait beaucoup changé, depuis le temps. Les années avaient déposé des couches de plis et de bouffissures sur ses traits. Sa crinière noire avait disparu, laissant à découvert un crâne rond, vaguement encadré par des lanières de cheveux blancs. Ses sourcils avaient pris un aspect plus broussailleux. Il y avait aussi quelque chose de figé dans ses lèvres, une expression étrangère qui révélait peut-être la présence d'un dentier.

Mais entre les flétrissures et les rides, c'étaient toujours les mêmes yeux, le même éclat amusé, ce regard moqueur qu'il posait sur le monde et qui avait le don de m'attendrir ou de m'exaspérer, selon les jours. Cette lumière où je m'étais un jour sentie chez moi.

Lui. Fred. Qu'était-il devenu ? Pourquoi me faire signe aujourd'hui, après tout ce temps, après une vie entière sans lui ?

J'ai fait deux clics sur la photo, pour l'agrandir. En format plein écran, l'image trahissait un grain imparfait. Elle avait été prise sur un arrière-plan de ciel et de nuages effilochés. L'effet de contre-jour assombrissait légèrement l'expression de Fred. En regardant bien, j'ai cru distinguer un scintillement d'eau à l'horizon. C'était l'image d'un homme mûr, bien dans sa peau, devant un paysage de vacances. Où était-il ? À qui souriait-il ? À qui appartenait la main qui avait activé l'obturateur ?

Une jalousie ancienne a reflué de je ne sais où, me nouant le ventre. J'ai fermé ma page Facebook et j'ai éteint l'ordinateur. J'avais atteint cette époque de la vie où l'on sait négocier avec ses états d'âme. L'âge où l'on sait que parfois, il vaut mieux tenir ses émotions à distance.

J'avais devant moi la perspective de trois semaines de solitude, dans une maisonnette louée sur une île, au milieu du fleuve. Je ne voulais que ça. L'odeur saline, des contacts polis et superficiels avec le propriétaire du café ou le pêcheur chez qui j'achèterais le poisson du jour. Une plage de calme, une surface plane et lisse, sur cette langue de verdure posée sur le Saint-Laurent.

Il y régnait un silence profond, vidé des bruits mécaniques de la ville. Le genre de silence où le cri d'une mouette ou le souffle du vent peuvent se déployer dans toute leur ampleur. Des pneus qui crissent sur la terre mouillée, c'est déjà un événement, le signe qu'il s'est produit quelque chose. Mais il ne se produisait généralement rien du tout et c'était précisément ça, cette absence de faits dignes de mention, que j'étais venue chercher ici. Surtout pas de turbulences ni de plongeons vertigineux dans le passé.

J'ai donc passé le reste de la journée à lire sur le balcon, face au fleuve, enveloppée dans une couverture de laine polaire, me levant parfois pour me servir des quartiers d'orange, une tranche d'esturgeon fumé ou un café. Le soir, après avoir réchauffé les pâtes aux chanterelles de la veille, j'ai marché jusqu'à la pointe de l'île, suivant le sentier bordé de rosiers sauvages, puis je me suis calée entre mes deux rochers habituels et j'ai regardé le soleil se liquéfier dans l'eau noire.

Toute ma vie était là, dans le contact des pierres dures, encore gorgées de la chaleur du jour, dans le bruit des vagues qui se fracassaient sur la berge, dans le cri des mouettes et le souffle de la marée.

Ma maison de location était minuscule mais coquette, avec ses rideaux à carreaux assortis à la nappe bordée de dentelle. Le trajet du retour s'est passé dans une sorte d'état d'apesanteur, aucune pensée ne venant interrompre le défilé d'images familières – la cabane grise abandonnée, avec ses fenêtres placardées, l'auberge aux volets jaunes, suivie de l'auberge aux volets rouges, la route transversale, la boîte aux lettres en forme de phoque, le chemin qui descend vers l'unique restaurant de l'île, une maison verte, une maison bleue, et le dernier virage, avant d'arriver chez moi.

J'avais encore mon anorak sur le dos quand j'ai ouvert la porte du réfrigérateur pour attraper la bouteille de pinot gris débouchée la veille. Je m'en suis versé un verre et j'ai rallumé l'ordinateur. Le visage de Fred souriait toujours sur ma page Facebook. Lui. Fred.

*   *   *

Nous nous étions rencontrés le plus bêtement du monde : à l'école. Il était assis devant moi pendant les cours de mathématiques et j'étais fascinée par son dos, une masse compacte tendue dans une constante fébrilité. Il se grattait, se baissait et se redressait, et ses longs cheveux noirs suivaient les mouvements désordonnés de son corps. On sentait chez lui la force prodigieuse mais contenue d'une bête prête à bondir.

Nous ne nous parlions presque jamais, Fred était un solitaire, une sorte de corps étranger greffé à notre groupe en cours d'année. Je me contentais de l'ignorer, moi qui tourbillonnais dans un enchevêtrement d'amitiés multiples et bruyantes. Entre lui et moi, longtemps, il n'y a eu que ce dos, généralement couvert d'une chemise à carreaux mauves et rouges, fausse veste de bûcheron recouvrant un corps maigre qui tressaillait sous mon regard.

C'est lui qui m'a parlé le premier. Nous planchions sur des exercices de probabilités qui consistaient à déterminer quelles étaient les chances de piocher une dame de pique, puis une dame de cœur, successivement et dans cet ordre, dans un jeu de cinquante-deux cartes. Ou celles d'obtenir trois six d'affilée en lançant un dé.

J'étais une élève appliquée et je répondais sagement aux questions quand le mouvement amorcé par le dos de Fred s'est prolongé sur sa droite, jusqu'à atteindre une torsion de cent quatre-vingts degrés. Sa main a relevé la frange qui tombait sur ses yeux, plissés dans ce sourire moqueur que je remarquais pour la première fois.

— Et quelles sont les chances pour que tu acceptes que je te reconduise chez toi après l'école, un jour, puis le lendemain et le surlendemain, dans cet ordre, à l'intérieur d'une semaine de sept jours?

J'ai regardé autour de moi : personne ne semblait avoir entendu sa question, il avait dû la chuchoter, pourtant, elle avait retenti dans ma tête avec la force d'un coup de canon. Plus tard, il m'avouerait combien il lui avait fallu d'audace pour m'adresser cette invitation, comment il l'avait répétée mentalement, avant d'oser se tourner vers moi en expulsant ces mots de sa bouche, trop vite, comme pour s'en libérer.

Ce jour-là, je l'ai repoussé en lui disant que des chances, il n'y en avait aucune. J'étais bien trop occupée avec une réunion du journal scolaire, puis celle du comité organisateur du bal des finissants. Et je ne savais rien de lui, nous ne nous étions encore jamais parlé. De toute façon, ma décision ne dépendait pas du hasard. La vie, ce n'est pas comme les mathématiques. Il me fallait de bonnes raisons pour me rapprocher de lui.

J'ai dit tout cela, mais j'avais brièvement hésité avant de répondre. Et c'était ce qu'il avait retenu de notre premier échange. Pas mon rejet, mais mon hésitation.

Comment les choses s'étaient-elles enchaînées à partir de là? Mes souvenirs sont flous. Je nous revois nous croisant dans une indifférence désormais forcée, étudiée. Un jour, il me sourit sous sa frange noire. Il m'attend à la porte de l'école, marche quelques pas à mes côtés. Il me parle du dernier disque de Frank Zappa, ou encore d'*Orange mécanique*, son film fétiche, et de son thème musical, l'ouverture de *La Pie voleuse* de Rossini. Il le fredonne : tararam taram tararam tam-tam… Il me demande où j'habite et ce que je compte faire l'année suivante.

Quelque chose se met à palpiter malgré moi. Ce jour-là, avec sa question inspirée par des exercices mathématiques, Fred avait créé une probabilité. Et cette probabilité a grandi pour devenir une certitude.

Le jour du bal de fin d'année, je me suis surprise à fouiller des yeux dans la multitude de robes fleuries et de vestons étroits qui remplissaient l'agora de la polyvalente, mais Fred n'y était pas.

Et pendant que les mains d'un garçon au prénom depuis longtemps oublié s'agrippaient à mes fesses, pendant que la voix de Paul McCartney crachait des « *Hey Jude* » à n'en plus finir, pendant que le gin tonic sifflé en cachette au local du journal me faisait tourner la tête, j'ai posé le front sur l'épaule de mon cavalier, j'ai fermé les yeux et j'ai vu apparaître le visage de Fred, avec sa petite lumière clignotant au coin de l'œil. J'avais dix-sept ans. J'étais amoureuse. Et je me suis laissée couler dans cette évidence.

\* \* \*

— Quelles sont les chances pour que tu acceptes de venir aux îles de la Madeleine sur le pouce avec moi, pendant vingt et un jours consécutifs, entre le 7 et le 28 juillet?

C'était le lendemain du bal, où Fred était finalement apparu à minuit, tel un Cendrillon masculin rescapé de son mauvais sort, avec son éternelle chemise de bûcheron, étrangement ornée d'un nœud papillon noir.

Cette arrivée tardive, dans cet accoutrement incongru, c'était sa manière de montrer qu'il n'avait rien à faire des convenances et qu'il méprisait ce rituel de passage qu'était notre fête de fin de secondaire. Il n'y aurait d'ailleurs pas mis le pied du tout, sans une bonne raison. Et cette raison, c'était moi.

À ce moment, le gin avait déjà fait ses premières victimes, l'agora s'était vidée et les danseurs avaient reflué vers les toilettes pour vomir ou pour tenir la main de ceux qui vomissaient. Personne n'a vu Fred replacer son nœud papillon avant de s'élancer vers moi, pour me prendre par le bras en disant : « Viens avec moi. »

Pas un mot de plus. Seulement : « Viens avec moi. »

Nous avons marché toute la nuit, nous avons parlé, puis nous n'avons plus parlé, nous nous sommes assis sur un banc, dans un parc, pour nous embrasser sans fin. À un moment, je me suis allongée, la tête posée sur ses genoux. Il a caressé mes cheveux. J'ai dormi un peu. Puis, j'ai senti la chaleur du soleil naissant sur mon visage. Nous ressemblions à deux amoureux. Une pensée s'est formée dans ma tête : désormais, il y aurait Fred et moi.

Des années plus tard, chaque fois que je repensais à lui, le mot qui me venait le plus souvent à l'esprit était :

« différent ». Fred était différent. Il ne bougeait pas tout à fait comme les autres, il avançait avec une sorte de raideur, et ce demi-sourire qui donnait l'impression qu'il se sentait supérieur à nous.

Il lisait beaucoup, aimait Boris Vian, mais pas *L'Écume des jours*, trop fleur bleue à son goût, plutôt *J'irai cracher sur vos tombes* ou les poèmes absurdes des *Cantilènes en gelée*. Il aimait Samuel Beckett et Ionesco, Herbert von Karajan et le *Premier concerto* de Tchaïkovski que nous avons écouté un soir, main dans la main, dans un état de fusion extatique. D'autres fois, il me parlait de mécanique ou d'informatique – un domaine nouveau qui, il en était certain, allait bientôt chambarder nos vies.

J'étais convaincue que Fred venait d'une famille d'intellectuels ou d'artistes. Il m'a invitée chez lui une seule fois. C'était dans un appartement de deux chambres situé en demi-sous-sol, dans un quartier central de notre ville. Sa mère ne portait pas de soutien-gorge et ses seins pendaient sous son t-shirt comme des courges desséchées. Son père fixait la télévision en s'enfilant une bière après l'autre. J'ai regardé autour de moi : il n'y avait pas l'ombre d'un livre dans toute la maison.

Où donc Fred avait-il pigé toutes ses connaissances ? De quelle force intérieure était-il doué pour avoir pu apprendre tout ce qu'il savait ? Loin de me décevoir, cette rencontre avec sa famille a décuplé mes sentiments. Fascinée, je le laissais me guider à travers ses passions, en fermant les yeux sur ses maladresses, sur les phrases guindées dont il parsemait sa conversation, sur cette moue condescendante qui provoquait des soupirs exaspérés autour de lui.

Je me rendais bien compte que Fred avait quelque chose de décalé qui rendait ses rapports sociaux laborieux. Aujourd'hui, on lui diagnostiquerait peut-être un léger syndrome d'Asperger. Mais à cette époque lointaine où les différences n'étaient pas encore des pathologies, il passait simplement pour snob et prétentieux.

De toute façon, j'étais amoureuse et je ne voyais, moi, qu'un garçon passionné, vibrant, drôle, intéressant et surtout – fou de moi. Quand il m'a demandé de l'accompagner, cet été-là, les probabilités que je refuse son invitation étaient nulles. Je l'aurais suivi les yeux fermés, n'importe où, jusqu'au bout de la terre.

Ce qui me reste de ce voyage? Des odeurs de diesel, d'algues et de poisson, des images de bord de route, de soleil couchant, de paysages qui défilent, d'herbes fouettées par le vent, images de port, de bateau, de dunes désertes, de berges escarpées qui jettent leurs flancs rouges dans l'écume des vagues. Images de nous deux montant et démontant notre tente, avant de nous poser sur une lagune, au bout du monde, Fred et moi.

Ce qui me reste aussi, ce sont des souvenirs de nuits entières à discuter, à parler de tout et de rien, sans interruption. Il me citait des vers connus et je devais nommer l'auteur. « Que les rosses que cela écorche ruent. » « Il y a quelque chose de pourri au royaume du Danemark. » « Le ciel est, par-dessus le toit, si bleu, si calme! » Shakespeare. Verlaine.

Nous jouions aussi au jeu des énigmes et à celui des

paradoxes. Je mens toujours. Je ne dis jamais la vérité. Et sa phrase favorite, celle qui a fini par devenir notre leitmotiv amoureux : « Si tu meurs, je te tue. »

Je t'aime. Pour la vie. Et si tu meurs, je te tue.

Nous passions aussi beaucoup de temps à nous embrasser, à nous toucher – mais pas plus, je ne voulais pas, je ne pouvais pas. Pas encore. Pas maintenant. Il insistait un peu, mais pas trop. Il ne comprenait pas. Moi non plus. Il n'y avait rien à expliquer.

*   *   *

Sur le bateau qui nous amenait vers l'île du Prince-Édouard, au retour, nous avons croisé Marie-Hélène, une fille de notre école. Elle voyageait seule. Elle portait un maillot de corps échancré, elle entortillait ses cheveux en boucles, avec ses doigts, et elle léchait avec application, en levant les yeux, le pourtour de la feuille de papier dans laquelle elle roulait ses cigarettes et ses joints. Elle était nettement plus délurée que moi.

Nous avons continué notre chemin ensemble : Fred, Marie-Hélène et moi. Il y a eu des regards lourds, des fous rires dont j'étais désormais exclue. Le jour, Fred jouait encore le jeu, il passait la main dans mes cheveux ou caressait ma joue, surtout quand Marie-Hélène s'éloignait de nous.

Mais le soir, Marie-Hélène faisait circuler son joint, avant que nous ne nous retrouvions dans la tente, tous les trois. Je faisais semblant de dormir, mais j'entendais les couinements des matelas gonflables, les tissus froissés, les soupirs. Il n'y avait plus de Boris Vian ni de Samuel Beckett. Pas d'*Orange mécanique* ni de Tchaïkovski. Seulement deux corps collés comme des aimants. Et une planète éjectée de son orbite : moi.

J'ai pris ma décision en voyant les panneaux annonçant Rivière-du-Loup. Ce soir-là, nous avons monté la tente dans un boisé, près d'un terrain de camping municipal. Ils dormaient encore quand j'ai ramassé mes vêtements, ma brosse à dents et les barquettes de beurre d'arachide et de confiture de fraises que nous avions chipées sur le bateau. Dans un geste d'une absolue puérilité, j'ai aussi attrapé les sachets de condoms qui traînaient à côté du matelas de Fred.

Puis j'ai traversé une ville silencieuse et immobile, jusqu'à la gare d'autocars. J'ai jeté les condoms dans une poubelle, j'ai mangé le beurre d'arachide et la confiture avec mes doigts. Il me restait tout juste assez d'argent pour payer mon billet et rentrer à la maison.

\*    \*    \*

Je n'ai gardé aucune des lettres d'excuses dont Fred m'a inondée après son retour. Mais je me souviens de leur contenu. Il était terriblement désolé. Il m'aimait toujours. C'était à cause d'elle, Marie-Hélène. Il ne savait plus ce qu'il faisait. Il ne la voyait plus depuis qu'il était revenu. Mon départ lui avait ouvert les yeux. Il voulait tout effacer, tout oublier, tout recommencer. Dans son cœur, il n'y avait que moi. Il s'était égaré. Est-ce que je pouvais lui pardonner?

Une fois, il m'a fait livrer des fleurs, une autre, il m'a apporté un disque de Brel, celui avec *Ne me quitte pas*. Il est venu le porter à la maison. C'est maman qui a ouvert la porte. Quand elle m'a appelée, j'ai crié : « Je ne suis pas là. »

Et Fred a hurlé, en retour : « Si tu meurs, je te tue ! »

Maman lui a dit que la prochaine fois qu'il mettrait les pieds chez nous, elle appellerait la police. Et elle lui a claqué la porte au nez. Elle a fouillé dans mon carnet d'adresses, a trouvé le numéro des parents de Fred, leur a dit de surveiller leur fils. Il ne fallait plus qu'il se pointe chez nous, jamais. « Vous comprenez ? Vous devriez le faire examiner. »

Bref, elle a joué son grand numéro de mère inquiète. Je trouvais qu'elle exagérait, mais je n'ai pas réagi. De toute façon, c'était trop tard. Le mal était fait. Les probabilités que j'accepte de revoir Fred étaient inférieures au zéro absolu. Celles que je veuille bien reprendre notre histoire à l'endroit où nous l'avions laissée avant l'épisode Marie-Hélène étaient carrément inexistantes.

J'ai passé une semaine à pleurer, peut-être deux. Mon cœur était brisé, mais j'avais la vie devant moi. En septembre, je serais ailleurs, dans une autre ville, dans un autre univers. Mon adolescence était bel et bien derrière moi.

Je n'ai jamais revu Fred et je n'ai pas eu de nouvelles de lui, depuis. J'ai bien croisé Marie-Hélène, à quelques reprises, lors de ces réunions d'anciens élèves qui viennent ponctuer nos vies, tous les dix ou quinze ans. Fred n'y participait jamais. Chaque fois, je demandais à

Marie-Hélène si elle savait quelque chose à son sujet. Elle ne savait jamais rien. Épaissie par les années, ravagée par une longue bataille contre la dépression dont elle parlait sans pudeur, elle avait vu son pouvoir de séduction s'émousser avec le temps. Et moi, j'ai fini par ne plus lui en vouloir. Ma colère contre Fred s'est évanouie, elle aussi. Au fil des années, j'ai adouci les angles de notre histoire. Sa trahison n'était pas si étonnante, après tout, avec son désir exacerbé et le mur que j'avais érigé autour de moi. Nous avions dormi l'un contre l'autre, pendant des jours. Et nous n'avions que dix-sept ans.

La vie a passé. Il y a eu des mariages, des enfants, des ruptures. Je défie quiconque de ne pas repenser avec nostalgie à un amour de jeunesse, un soir de solitude. Et de ne pas imaginer de nouvelles possibilités, le jour où cette flamme ancienne se pointe sur votre page Facebook, avec ses kilos supplémentaires, son dentier et sa lumière toujours vivante au fond de l'œil.

Je venais justement d'émerger d'une séparation difficile que je soignais sur cette île au milieu du fleuve. Quand Fred est apparu sur l'écran de l'ordinateur, j'ai pensé : « Pourquoi pas ? Et si c'était la vie qui l'avait mis une fois de plus sur ma route ? Et si c'était un signe du destin ? »

J'ai imaginé une complicité retrouvée et apaisée. J'ai imaginé *L'Amour aux temps du choléra*. Je n'y croyais pas vraiment, mais quand même un peu…

J'ai cliqué sur « Accepter » et j'ai attendu la suite. Une heure plus tard, je recevais un message personnel de Fred. « Chère L, quel plaisir de te retrouver après toutes ces années, j'ai souvent pensé à toi, j'aimerais bien te revoir. »

— T'as pas changé, a dit Fred dès que je me suis assise devant lui, deux semaines plus tard, dans le café où j'ai mes habitudes et où j'ai fini par lui donner rendez-vous.

— On dit toujours ça, mais tout le monde change.

— Non, t'as *vraiment* pas changé.

Comment reprendre le fil d'une conversation suspendue depuis des décennies? Il m'a dit qu'il ne prenait jamais d'espresso, seulement du café filtre, avec deux sucres et du lait. Il vivait en banlieue et avait toujours un peu peur en traversant le pont. Dieu merci, il avait réussi à garer son VUS. Pas évident en ville. Jamais, jamais il ne pourrait vivre ici. Trop de monde, trop de bruit, trop de stress, il ne pourrait jamais se sentir chez lui.

— Et toi?

J'avais eu des enfants, deux, un garçon, une fille. Pas lui. Il ne le formulait pas comme ça, mais c'était comme s'il ne m'avait jamais vraiment remplacée. Il a bien eu quelques relations, mais elles n'avaient jamais duré plus de deux ans.

— C'est comme les peines de prison provinciales, deux ans moins un jour…

Il a vraiment dit ça et il a ri, faisant tressaillir le double menton que je n'avais pas remarqué sur la photo de son profil Facebook. J'ai souri, pour lui faire plaisir. Mais je ne le trouvais pas drôle du tout.

Qu'avait-il donc fait de sa vie, pendant toutes ces années? Pas grand-chose. Pourquoi avait-il ainsi disparu de la circulation? Il avait étudié à Toronto, sans jamais obtenir de diplôme, puis il était parti travailler dans l'Ouest canadien, dans les hôtels. Il n'avait gardé aucun lien, ici. Même ses parents, il les avait expulsés de sa vie.

— Tu sais, mon père était alcoolique, ce n'était pas drôle tous les jours, chez moi.

Fred avait fini par boire, lui aussi. Un peu, beaucoup, énormément. Il a dérivé. C'est le verbe qu'il a utilisé. *Dériver.*

— Et après?

Après, il s'est ressaisi. Ses parents sont morts. Il est rentré chez lui. Il a repris ses études. Un cours de gestion. Il a ouvert un bureau de gestionnaire de portefeuille. Il plaçait l'argent des autres. Il y a eu des années fastes, des investissements boursiers lucratifs, des milliers de dollars qui sont devenus des dizaines de milliers, puis des centaines. Il a investi ses gains, a eu le flair de vendre des actions au bon moment. Tant de gens avaient tout perdu, à cette époque. Pas lui. Bien au contraire.

À un moment, il a retiré ses placements du marché boursier pour investir dans l'immobilier. Il a acheté des condos, les a revendus, a acheté des triplex, en a gardé quelques-uns, a revendu les autres.

Il trouvait que les locataires, de nos jours, étaient bien trop protégés. «Essaie donc de faire expulser un assisté social qui ne paie pas son loyer. Le droit penche toujours de son côté. Alors que c'est moi qui absorbe toutes les hausses de coûts, les augmentations de taxes, les taux d'intérêt. »

Mais bon, il ne s'en était pas trop mal tiré, tout compte fait. Aujourd'hui, il pouvait vivre confortablement, sans travailler. À quoi ressemblait sa vie ? À rien de spécial, comme tout le monde. Lire le journal le matin, faire les courses au supermarché, réparer une poignée de porte ou un rond de poêle, dans un de ses logements locatifs. Ou alors faire un casse-tête, ou résoudre un sudoku, puis les nouvelles du soir, tu sais bien comment la vie remplit notre temps, à notre âge, avec ces petits riens ?

Non, je ne savais pas... Et puis, manifestement, nous n'avions pas le même âge. Ni les mêmes centres d'intérêt. Ni les mêmes valeurs. Nous n'avions en fait pas grand-chose en commun, tous les deux.

Le nouveau Fred n'aimait pas voyager aux États-Unis, trop de violence, ni en Europe, trop loin. Parfois la Floride, en auto. Il avait peur de l'avion et puis, il avait tout son temps. Il vivait en réalité une vie de jeune retraité. « Tu sais, comme dans le slogan de cette vieille pub, liberté 55. Ou était-ce 50 ? Tu te rappelles ? »

Il n'y avait plus de Brel, ni de Vian, ni de Ionesco. Pas de cantatrice chauve ni de Godot. Pas de rosses écorchés ni de royaumes pourrissants. Et surtout, il n'y avait plus de Fred. L'homme qui occupait ce corps prétendait porter son nom. Mais il était d'une affligeante banalité. Il buvait un café insipide. Il portait une chemise à manches courtes qui s'ouvrait sur un ventre blanc et rebondi. Il parlait avec affectation, émaillant ses phrases d'expressions usées à la corde. Il se montrait imbu de sa réussite financière, dégoulinant d'auto-satisfaction, méprisant envers ceux dont la vie ne correspondait pas à ses critères de réussite. Il s'exprimait comme un vendeur d'aspirateurs qui a appris par cœur les slogans promotionnels de son entreprise et qui les martèle sans se soucier de la réaction du client qu'il essaie d'embobiner.

Pendant toutes ces années, au fond de moi, j'avais imaginé que Fred était promis à un destin exceptionnel. Il serait un poète méconnu ou célébré, ou les deux, successivement. Ou alors, un chercheur dans un laboratoire, planchant sur des expériences compliquées et prometteuses. Pendant toutes ces années, un Fred imaginaire avait vécu au fond de moi.

Mais ce n'était qu'un fantasme. En réalité, le garçon qui m'avait rendue si heureuse avant de me faire tant pleurer, ce garçon-là n'existait plus. Un vendeur de balayeuses en chemise à manches courtes et en chaussettes blanches avait pris sa place.

Je l'ai écouté parler en souriant à ses blagues ratées et en refusant de saisir les perches qu'il me tendait pour nous replonger dans notre passé. J'ai fini par lui mentir en lui disant que oui, j'étais toujours mariée, avec le père de mes enfants.

Mon fond de café était déjà froid quand il a attrapé ma main et plongé son regard dans le mien.

— Je n'ai jamais cessé de regretter ce qui est arrivé, cet été-là.

Ça m'était parfaitement égal. Ça ne me concernait pas. J'ai eu la charité de lui dire que je ne lui en voulais plus. J'avais hâte de mettre fin à cette pénible rencontre avec un étranger. Pour accélérer les choses, j'ai réglé son addition, même s'il était manifestement mille fois plus riche que moi. Il n'a pas bronché et m'a laissée tendre ma carte de crédit à la serveuse, en faisant mine de regarder ailleurs.

Puis j'ai serré sa main et je me suis retenue de ne pas partir en courant lorsqu'il a lancé, derrière moi :

— J'espère qu'on va se revoir !

Quand je suis rentrée chez moi, je me sentais vide et affligée, comme au retour d'un enterrement. J'aurais préféré ne jamais l'avoir revu. Fred, mon Fred, qui avait vécu toutes ces années dans ma mémoire. Il était charmant et arrogant, amoureux et indifférent, drôle et méprisant, adorable et détestable à la fois. Mais c'était Fred. Le type avec qui je venais de perdre deux heures de mon temps venait de le vider de son passé, de son présent et de son avenir.

J'ai fouillé parmi mes bouteilles pour me verser une double ration de scotch et j'en ai avalé la moitié en une gorgée. Puis j'ai allumé l'ordinateur et j'ai activé ma page Facebook.

Le type chauve était toujours là, avec son sourire insignifiant. J'ai pris une grande respiration et je l'ai éliminé de la liste de mes amis, avec le sentiment désagréable d'exécuter un inconnu.

Fred était bel et bien mort. Alors je l'ai tué.

# Le testament

La notaire avait une drôle de tête. Ses joues pleines et lisses encerclaient une bouche en cœur qui lui donnait l'air d'une poupée. Elle était ronde, mais pas grosse, le genre de femme que les hommes trouvent appétissante, je crois. Son chemisier blanc, tendu sur sa poitrine, s'entrouvrait entre les boutonnières, laissant apparaître un soutien-gorge de dentelle rose. L'austérité de sa profession ne faisait qu'accentuer, par contraste, son allure aguichante.

Elle était arrivée en retard à notre rendez-vous. Il avait neigé toute la nuit et la ville entière s'était transformée en un monstrueux bouchon. Je l'avais attendue pendant plus d'une heure en essayant de trouver quelque chose à observer dans la salle d'attente aux murs beiges.

La réceptionniste m'avait proposé de remettre le rendez-vous, vu le retard. C'est ce que venait de suggérer la notaire qui l'avait appelée de son auto immobilisée dans un échangeur de l'autoroute Métropolitaine. Ce n'était quand même pas ma faute ni la sienne si le ciel s'était déchaîné cette nuit-là. Si au moins la Ville avait fini de déneiger les rues depuis la dernière tempête. Mais non, la nouvelle neige s'était déposée sur les résidus glacés de la tempête précédente, rétrécissant encore davantage l'espace laissé aux autos. Comment voulez-vous circuler dans ces conditions?

Elle égrenait ses plaintes un peu mécaniquement, sans vérifier si je l'écoutais, telle une litanie répétée des dizaines de fois depuis le début de l'hiver. Ce qu'il fallait en retenir, c'est que personne ne m'en voudrait si je décidais de rentrer chez moi pour revenir le lendemain, la semaine prochaine ou au printemps, quand toute la neige aurait fini de fondre. Mais il n'en était pas question. Depuis le temps que je remettais à plus tard la rédaction de mon testament, maintenant que je m'étais décidée, maintenant que j'avais vaincu toutes mes résistances et superstitions, je pouvais bien patienter encore un peu.

J'avais donc accroché mon manteau sur un cintre, et enfilé les couvre-chaussures de plastique bleu pardessus mes bottes mouillées pour protéger le plancher. Je bougeais avec une lenteur inhabituelle, comme pour absorber le plus de temps avec chacun de mes gestes.

« Installez-vous », m'avait ordonné la réceptionniste en montrant une chaise en métal, face à la table basse recouverte de magazines aux titres aussi accrocheurs que « Planifiez votre retraite » ou « Il n'est jamais trop tôt pour faire ses préarrangements funéraires ». Décidément, j'allais m'amuser.

J'étais la seule cliente et la réceptionniste continuait à marmonner sa complainte météorologique comme si elle se sentait obligée de me faire la conversation. Elle ne s'est tue qu'après avoir allumé la radio, laissant la sonorité agressante de l'émission matinale remplir la salle d'attente. Puis elle a fait mine d'oublier ma présence pour se concentrer sur la mise en marche de son ordinateur.

J'ai jeté un coup d'œil sur l'écran de mon cellulaire. Il y avait douze nouveaux messages dans ma boîte de réception, mais aucun n'exigeait une réponse immédiate. À l'exception d'un mot de Samuel – il allait préparer du homard pour le souper, il avait déjà acheté une bouteille de pouilly-fuissé, tout serait prêt à mon retour à la maison, je n'avais qu'à bien me tenir –, aucun de ces courriels ne m'était adressé personnellement. C'étaient plutôt des messages promotionnels offrant des rencontres coquines, des produits susceptibles d'améliorer de façon substantielle les performances sexuelles ou des sommes d'argent mirobolantes que je recevrais dès que j'aurais fourni mon numéro de compte bancaire et le code permettant d'y accéder.

J'ai souri à l'idée des deux crustacés que je partagerais avec Sam, quelques heures plus tard. Je lui ai répondu avec plein de X en guise de baisers, puis j'ai regardé autour de moi. Un calendrier mural, deux diplômes dans des cadres noirs, une reproduction du rocher Percé : la salle d'attente baignait dans un décor incolore, impersonnel, sans surprise ni aspérité.

Une pile de dossiers se dressait dans un coin du bureau de la réceptionniste, à côté du téléphone. De ma position, j'ai réussi à déchiffrer « succession de Sylvie Jodoin » sur la chemise placée au sommet de la pile. Une femme s'était donc un jour appelée Sylvie Jodoin. À un moment de sa vie, elle avait décidé qu'elle devait faciliter la tâche à ses héritiers et que ce n'était quand même pas un testament qui allait la tuer. Son dossier de succession indiquait qu'elle s'était peut-être trompée. En tout cas, la rédaction de ses dernières volontés ne l'avait pas empêchée de mourir.

Qui donc était cette défunte? Avait-elle des enfants? Que leur laissait-elle? L'héritage les consolerait-il de son absence? Souffriraient-ils moins en sachant qu'ils pourraient enfin régler leur hypothèque ou acheter une nouvelle auto? Mais peut-être ne leur laissait-elle que des dettes, des cartes de crédit impayées, des appareils électroménagers à rembourser en douze paiements sans intérêts.

J'en étais là dans mes pensées quand j'ai entendu la notaire grimper l'escalier en produisant un désagréable bruit de succion sur le linoléum avec ses bottes. Elle m'a tendu la main en se présentant : maître Bourgeois.

Elle était vraiment désolée pour ce délai, mais elle n'y pouvait rien. Elle a secoué son manteau, faisant tomber un nuage de flocons sur le sol, et a enlevé ses bottes pour enfiler des escarpins. Malgré ses talons hauts, elle réussissait à être plus petite que moi. Puis elle a lissé la jupe rouge qui moulait ses fesses et m'a fait signe de passer dans son bureau.

Je croyais qu'elle m'offrirait un café, mais non. Elle s'est assise devant moi, a ouvert un tiroir, en a tiré une feuille lignée jaune et un stylo, avant de plonger dans le vif du sujet. « C'est bien pour un testament? Votre nom? Date de naissance? Numéro d'assurance sociale? »

Quelques flocons finissaient de se liquéfier sur la frange striée de mèches blondes qui s'abattait sur ses yeux chaque fois qu'elle baissait la tête. Elle la remontait en plongeant ses mains au milieu des boucles. Ongles recouverts d'un vernis carmin, anneaux dorés accrochés aux oreilles, bracelets clinquants et ces seins qui semblaient vouloir s'échapper de son chemisier : elle exsudait la sensualité et la satisfaction de soi. Mais son regard, lui, restait froid et sévère, imperturbable.

J'ai essayé de la faire sourire en lui confiant que si, à mon âge, je n'avais pas encore pris la peine de faire un testament, c'était sans doute parce que je craignais que le simple fait d'en rédiger un ne me précipite vers l'au-delà.

Maître Bourgeois n'a pas bronché et m'a fixée de ses iris bleu délavé, inexpressifs : elle avait dû entendre cette blague des dizaines de fois.

À vrai dire, sa réaction pragmatique et insensible à mes tentatives de rapprochement me rassurait. J'étais ici pour décider d'événements qui surviendraient après ma mort, mais ce n'était pas une raison pour m'émouvoir ni pour me regretter par anticipation. Pour l'instant, j'étais bien vivante et j'avais entrepris de disposer virtuellement de mes biens en prévoyant toutes les configurations de malheurs possibles. Cela ne signifiait pas qu'ils allaient forcément survenir. Du moins, pas dans un avenir immédiat.

Je voulais léguer toutes mes possessions à Alice et Véronique, mes deux filles, aujourd'hui adultes. Elles se partageraient à parts égales tout ce que j'avais réussi à amasser au fil des décennies. L'une hériterait de l'appartement, l'autre du chalet. Elles diviseraient en deux les bénéfices de mon épargne-retraite et ceux de mon assurance-vie. J'ai failli dire qu'elles avaient intérêt à ce que je meure rapidement, avant que mes épargnes ne soient avalées par le loyer exorbitant de quelque maison de retraite, mais je me suis mordu les lèvres : la notaire ne prisait manifestement pas mon humour noir.

— Et si l'une de vos filles devait mourir avant l'autre ? Et si les deux devaient mourir avant vous ? Qui serait votre héritier ? Votre exécuteur testamentaire ? Et si jamais vous deviez mourir toutes les trois ensemble ? Il faut penser à tout, vous savez.

L'hypothèse d'une mort simultanée était particulièrement difficile à imaginer, étant donné que mes filles et moi vivions sur trois continents séparés et qu'il aurait fallu un hasard improbable, tel le déraillement d'un train nous emmenant vers Londres, Bruxelles ou Berlin à l'occasion d'une de nos trop rares retrouvailles européennes, pour nous faire périr simultanément, toutes les trois.

Mais la rédaction d'un testament exigeait que l'on tienne compte de toutes les éventualités, même les plus inimaginables. J'ai donc répondu rapidement aux questions de maître Bourgeois, en prenant soin de toucher son bureau de bois chaque fois qu'elle me forçait à évoquer une nouvelle tragédie, question de conjurer le sort.

Puis, j'ai pris une grande respiration et j'ai évoqué Sam. Samuel. Alice et Véronique ne le connaissaient pas. Je ne leur en avais jamais parlé. À un moment, sur Skype ou FaceTime, j'avais bien mentionné que j'avais rencontré « quelqu'un », mais sans plus. Elles ne m'ont posé aucune question à ce sujet depuis. Par délicatesse, sans doute. Mais peut-être aussi parce qu'elles appréhendaient une nouvelle déception amoureuse et qu'elles préféraient repousser le moment où elles seraient confrontées, une fois de plus, à ma solitude.

Mes filles, que j'ai élevées pour l'essentiel toute seule, vivaient à l'étranger depuis quatre ans. Alice au Sénégal, où elle travaillait pour une organisation humanitaire. Véronique à Kyoto, où elle étudiait la calligraphie japonaise tout en gagnant sa vie en enseignant l'anglais. Mes deux grandes filles, si belles, si fortes, si ambitieuses, si déterminées. Et si loin de moi.

Nous avions pris l'habitude de nous retrouver de temps à autre à Paris, pour passer quelques jours dans un appartement loué à une agence, souvent le même, à quelques rues de la Bastille. Et en profiter pour faire de brèves escapades dans d'autres villes européennes.

C'étaient pour moi de petites bulles de bonheur et de complicité retrouvée. Nous passions des heures dans les boutiques, les musées, les cinémas. Promenades, cafés-terrasses, esthéticiennes, restaurants de quartier, loin des circuits touristiques que nous abhorrions. Nous riions des garçons de café, de leur manière un peu condescendante de nous traiter de « cousines québécoises » dès que nous ouvrions la bouche pour commander un café crème ou un jambon-beurre. Du caribou avec ça ?

Nous nous remémorions les anecdotes des rencontres précédentes et en fabriquions de nouvelles, pour les évoquer la prochaine fois. Nous faisions le plein de nous.

Mais cette complicité laissait une large part au mystère. Mes questions trop personnelles se heurtaient à des « Maman, s'il te plaît, laisse-nous vivre notre vie ». Quand elles ne le disaient pas, leur expression excédée, leurs regards entendus, parlaient pour elles.

Forcément, je ne leur parlais pas non plus beaucoup de moi. Elles ignoraient donc que Samuel Mayer, que je fréquentais depuis maintenant huit mois, venait de s'installer chez moi avec ses deux vélos, ses douze caisses de livres et sa collection de calvados et d'armagnacs.

La décision avait été prise de façon un peu précipitée, c'est vrai. Mais en tant qu'archéologue, Samuel passait beaucoup de temps à voyager. Ce n'était pas très logique, pour lui, de garder un appartement trop grand et trop souvent vide. Comme ça, quand il rentrerait à Montréal, nous pourrions vraiment nous retrouver, profiter pleinement des trop rares journées passées ensemble. L'aspect économique de notre arrangement n'était pas le plus important, mais je ne nageais pas dans l'argent, et je venais de perdre coup sur coup deux importants contrats de traduction. En partageant les frais quotidiens, nous arriverions à nous offrir une vie plus agréable, des voyages, des concerts, des restaurants. Un jour, j'y comptais bien, je pourrais l'accompagner dans une de ses expéditions archéologiques, et je le verrais rentrer à l'hôtel, le soir, avec sa barbe de trois jours et son chapeau d'Indiana Jones…

C'est cette nouvelle situation conjugale qui m'avait incitée à prendre rendez-vous avec maître Bourgeois, notaire au regard sévère, brutalement contredit par un chemisier entrouvert sur un soutien-gorge de dentelle rose. Je ne doutais pas que le jour où je mourrais, subitement ou au terme d'une longue maladie, mes filles s'organiseraient entre elles, qu'elles sauraient se partager mes quelques biens en toute harmonie. Il n'y avait jamais eu de réelle rivalité entre elles, et elles n'étaient pas très attachées aux biens matériels.

Mais comment disposeraient-elles de Samuel, si jamais je devais disparaître avant même qu'elles ne fassent sa rencontre? Lui qui avait résilié son ancien bail et tout misé sur notre vie commune. Et qui ne représentait rien pour elles, à peine une vague présence qui leur permettait de vivre au bout du monde sans se sentir trop coupables de m'avoir laissée derrière elles.

Si je devais me faire frapper par un camion la semaine prochaine, ou dans six mois, ou dans un an, allaient-elles exiger qu'il leur paie un loyer? Le cas échéant, quel en serait le montant? Ou préféreraient-elles le mettre cavalièrement à la porte pour prendre possession de l'appartement?

Mais alors à quelles conditions? Éprouveraient-elles ou non des scrupules à lui demander de partir? Quels seraient ses droits à lui?

De toute évidence, je devais clarifier les procédures, protéger mes filles contre des décisions déchirantes et lourdes de conséquences, mais aussi, protéger un peu Samuel. Je n'avais pas l'intention de lui léguer quoi que ce soit, nous nous connaissions depuis peu, et il n'en avait pas vraiment besoin. Mais il avait fait ce geste, quitter le condo où il vivait depuis vingt ans, vendre la plupart de ses meubles, pour commencer une nouvelle vie, avec moi. Il ne fallait pas que sa présence empêche mes filles de profiter de leur héritage. Mais il ne fallait pas non plus qu'il se retrouve du jour au lendemain dans la rue.

Pour la première fois de ma vie, l'idée de l'imbroglio que je laisserais à mes survivants s'est insinuée dans mes pensées, de façon de plus en plus obsédante. Un de mes amis venait d'être terrassé par un infarctus. Ma belle-sœur souffrait d'un cancer du sein. L'étau se resserrait. Ça devenait difficile de prétendre que la mort n'était qu'une réalité abstraite, une menace qui pesait sur tout le monde, sauf sur moi. Un film qui me confinerait pour toujours au rôle de spectatrice, où je ne détiendrais jamais le rôle principal.

En faisant appel à maître Bourgeois, je voulais, pour la première fois, affronter concrètement cette éventualité. La manière froide et détachée avec laquelle elle jonglait avec les tragédies potentielles, comme s'il s'agissait de simples transactions immobilières ou du choix des plats dans un restaurant, avait quelque chose d'apaisant. Manifestement, je ne commettais aucun sacrilège en planifiant un peu ma mort ni en faisant entrer Samuel Mayer dans mes plans posthumes, dans la mesure où ça n'enlevait rien à mes adorables mais lointaines héritières.

D'un commun accord, maître Bourgeois et moi

avons donc décidé de laisser Sam profiter de mon appartement pendant les dix-huit mois suivant mon décès, période au cours de laquelle il verserait un loyer qui permettrait à mes filles d'absorber les coûts associés à cette propriété, et même, de réaliser un petit profit. De cette manière, Sam aurait amplement le temps de se reloger convenablement. Mes filles ne perdraient rien. Et tout le monde serait content.

Pendant que la notaire inscrivait ces détails, j'imaginais avec un plaisir pervers la tristesse de Sam, mais aussi sa reconnaissance, car j'avais pensé à lui, je l'avais fait entrer dans ma famille à son insu, comment pourrait-il jamais m'oublier?...

— Le nom de votre conjoint?

La voix de la notaire m'a tirée de cette rêverie un peu macabre, pour me ramener dans le bureau lisse et froid où elle inscrivait mes dernières volontés sur une feuille de papier ligné jaune.

J'ai mis quelques instants avant de reprendre mes esprits. J'ai toussoté. Puis j'ai dit le nom de Sam. Samuel Mayer.

Maître Bourgeois a planté ses yeux dans les miens.

— Mayer avec un *a* ou avec un *e*? Mayer ou Meyer? Date de naissance?

Sa main a ralenti sur la feuille jaune, avant de laisser tomber le stylo. Son visage s'est immobilisé et la peau tendue sur ses joues lisses et pleines est devenue livide, comme si le sang l'avait désertée. J'ai eu le sentiment étrange de me trouver dans un film tourné au ralenti.

La notaire s'est levée et, sans un mot, elle a quitté la

pièce. Dehors, la tempête avait forci. Les bourrasques projetaient des trombes de neige contre la fenêtre. Quelque chose s'était passé, mais quoi? J'ai eu la brève impression de me trouver dans un cabinet de radiologie, devant un écran plein de taches suspectes, juste avant qu'un médecin ne vienne m'expliquer leur signification. Mais peut-être que je me trompais. Peut-être n'était-ce qu'une fausse alerte. Une erreur de diagnostic.

Cliquetis des talons contre le plancher de linoléum, porte qui claque, sonnerie du téléphone, voix étouffées, bruit d'une chasse d'eau : tous ces sons témoignaient d'une normalité qui se poursuivait ailleurs, dans la salle d'attente. Puis, son d'alerte de ma messagerie : « Les homards et l'archéologue t'attendent, je t'aime, Sam. » Tout allait bien, il n'y avait rien de changé. Absolument rien.

Quand elle est rentrée dans son bureau, la notaire avait repris ses couleurs, mais des gouttes d'humidité perlaient sur son front. Elle avait dû asperger son visage avec de l'eau. Elle avait aussi pris la peine de tirer sur son chemisier, refermant les ouvertures entre les boutonnières et soustrayant le soutien-gorge de fantaisie à mon regard.

Elle s'est assise derrière son bureau et m'a fixée longuement. Ses iris avaient pris une teinte plus foncée, presque noire. Son rouge à lèvres avait fui et sa bouche en cœur affichait un rictus qui pouvait passer pour un sourire ironique. Ou pour une moue de défi.

— À quand remonte sa dernière expédition archéologique?

La question était de toute évidence hors de propos : en quoi cela la concernait-il ? Mais le ton de sa voix était coupant, glacial, et nous étions déjà engagées sur une route à une voie, sans retour possible. Je me suis souvenue que Sam s'était absenté pendant une semaine, en mars. Il n'avait pas voulu que je le conduise à l'aéroport, l'avion décollait à l'aube, ce n'était pas la peine que je me lève si tôt, il prendrait un taxi, c'était inclus dans son allocation de dépenses, de toute façon.

Il avait enfilé son pantalon en toile écrue, bouclé sa ceinture bourrée de billets de cent dollars américains, boutonné sa veste sans manches garnie de poches intérieures et extérieures, placé son passeport dans l'une de ses poches. Il avait ensuite enfoui son visage dans mon cou et il m'avait embrassée en disant : « Je t'écrirai dès mon arrivée, là-bas, en Jordanie. »

Quelques jours plus tôt, il m'avait expliqué qu'il participait à une mission archéologique internationale qui venait de découvrir des traces d'habitations anciennes sur le site de Kharaneh, dans l'est de la Jordanie – vraisemblablement des cabanes ayant appartenu à des tribus de chasseurs cueilleurs qui avaient peuplé la région vingt mille ans auparavant.

Il semblait très excité par cette découverte dont il avait été avisé par un ancien collègue de Cambridge. Un nouveau champ de recherche venait de s'ouvrir devant lui, promesse de contrats relativement lucratifs, pour deux ou trois ans, sinon plus.

« Nous allons pouvoir en profiter, tu verras. La prochaine fois tu viendras avec moi, nous irons voir Pétra et le Jourdain, peut-être qu'on pourrait en profiter pour traverser en Israël, pourquoi pas. Dors bien mon amour », avait encore soufflé Sam dans mon oreille avant de se redresser au-dessus de notre lit et de se diriger vers la porte, en tirant sur la poignée de sa valise ultra légère et ultra résistante.

— La première semaine de mars, c'était bien celle de la relâche scolaire, n'est-ce pas ?

Décidément, maître Bourgeois exagérait, j'étais sidérée par sa curiosité. J'allais la remettre à sa place quand je l'ai vue fouiller dans son sac à main pour en extirper son téléphone. Elle a composé son code de protection, a appuyé ici et là avant de me tendre l'appareil. Le visage de Sam irradiait sous le soleil couchant. Il souriait et pendant une fraction de seconde, j'ai cru que c'était moi qu'il enveloppait de son regard chaud et amoureux.

— Vous ne comprenez pas, a constaté la notaire. Cette semaine-là, celle de la relâche, nous sommes allés à Cuba, avec mes enfants. Pour nous, la mission en Jordanie, c'était en février…

Toutes ces dates ne formaient plus qu'un casse-tête démembré dont les pièces flottaient autour de moi, sans aucune logique.

J'ai essayé de reconstituer le mois de février dans ma tête, mais il formait une masse informe et sans point de référence. *Février* n'était qu'un mot vide de sens. J'ai dû consulter mon portable : oui, c'est ça. En février, nous avions séjourné une semaine dans une auberge jouxtant une station de ski, avec un spa, un foyer et un canapé moelleux où nous caler après une journée sur les pentes. Il avait fait froid, très froid. Nous avions passé plus de temps devant les flammes du foyer que sur nos skis. Un soir, après le champagne, après l'amour, il m'avait dit : « Tu es la femme de ma vie », puis il s'était endormi dans mes bras. J'étais restée longtemps, les yeux ouverts, à penser que si le bonheur devait ressembler à quelque chose, c'était probablement à ça. À cet homme ronflant doucement au creux de mon épaule après m'avoir dit que j'étais la femme de sa vie. Et là, il y avait maître Bourgeois qui brandissait une photo montrant Sam souriant amoureusement à une autre que moi. À elle, en l'occurrence.

J'ai essayé de m'accrocher à quelque chose. N'importe quoi. Sam avait un frère jumeau dont il m'avait caché l'existence, mais tout s'expliquerait bientôt. Ou il avait un sosie qui se faisait passer pour lui. Ou. Ou…

Les mains de la notaire tremblaient légèrement quand elle avait commencé son récit, mais elle a rapidement retrouvé son aplomb.

Elle avait rencontré Sam un an plus tôt, grâce à un site de rencontres, sur Internet. Elle était divorcée depuis quelques années et élevait deux enfants en garde partagée. Pas évident de rencontrer un homme quand on a la responsabilité de deux jeunes bambins. Entre celui qui lui expliquait comment les éduquer et celui qui la boudait quand elle n'arrivait pas à trouver de gardienne, la notaire avait fini par se dire qu'elle n'avait pas de temps à perdre. Aussi bien rester seule jusqu'à ce qu'ils deviennent plus grands, autonomes.

Puis, il y avait eu un message de Sam, un jour où elle s'était aventurée sur le site par ennui ou par curiosité, ou dans un ultime geste d'espoir. Sam-Samuel, avec sa barbe de trois jours, ses histoires d'expéditions au bout du monde, sa délicatesse, sa douceur. Il jouait avec les enfants mais ne se prenait pas pour leur père. Il trouvait qu'elle était une mère formidable. Il lui avait confié qu'il avait toujours rêvé de fonder une famille, mais n'avait rencontré que des femmes qui ne voulaient pas d'enfants. Il était tellement parfait. Trop parfait. Je la comprenais bien : c'était sur ce même site que je l'avais rencontré, moi aussi…

C'est elle qui avait fini par lui proposer de venir s'installer dans sa maison de banlieue, cette maison qu'elle devait quitter tous les matins pour se battre contre le trafic. Quand il n'était pas en voyage, ils s'y retrouvaient le soir, Sam rentrait de l'université et ils cuisinaient ensemble en prenant un verre de vin, il débarrassait la table pendant qu'elle aidait les enfants à faire leurs devoirs et qu'elle leur donnait le bain. Et après, ils s'endormaient, tout pelotonnés sous sa couette en duvet d'oie recouverte d'une housse à motif fleuri.

La notaire avait un prénom : Geneviève. Geneviève, donc, menait une vie bien remplie et avait instinctivement fait confiance à Sam. Il racontait ses missions avec tant de détails, il lui arrivait de tenir de longues conversations en anglais au téléphone où il était question de ses recherches, il sortait des euros ou des dinars jordaniens de son portefeuille, il rentrait de ses expéditions avec, dans ses bagages, des bijoux et des coussins décoratifs recouverts de tissus orientaux. Pourquoi donc aurait-elle douté de lui? Il est vrai qu'elle ne lui avait jamais rendu visite à l'université, qu'elle ne connaissait aucun de ses collègues, mais avec deux enfants et un boulot exigeant sur les bras, ses journées étaient déjà bien remplies. Et puis elle le croyait, c'est tout.

Il lui avait aussi dit que son vrai nom, c'était Meyer, avec un E, que c'est comme ça que s'appelait son grand-père, un Juif allemand débarqué à Halifax quelques mois après la fin de la Deuxième Guerre mondiale. L'officier qui avait pris son nom en note avait compris Mayer, avec un *a* – et c'est ce nom qui allait être transmis à ses enfants et à leurs enfants.

Il pouvait donc passer pour le descendant d'un des mercenaires allemands enrôlés dans l'armée britannique pour combattre la révolution américaine, et dont plusieurs avaient fini par s'installer au Canada, après le traité de Versailles. Ils étaient là depuis la fin du xviiie siècle. Un certain Mayer, allemand ou alsacien, avait donc engendré une lignée dont Sam pouvait se réclamer, grâce à une erreur de transcription.

Je connaissais bien l'histoire, Sam me l'avait racontée à moi aussi, en soulignant l'ironie de ce changement d'un nom juif à un nom allemand. « C'est drôle, non? »

Je regardais la bouche de Geneviève Bourgeois formuler les mots que je connaissais trop bien et qui ouvraient désormais un gouffre sous mes pieds. Cette bouche qu'un homme qui ressemblait de plus en plus à Sam avait embrassée, léchée, cajolée.

Je luttais encore: il m'expliquerait tout ça ce soir.

Autour de nos homards. Et d'une bouteille de pouilly-fuissé. Tout s'éclairerait, j'en étais certaine.

La sonnerie du téléphone m'a ramenée à maître Bourgeois, qui ne voulait plus s'occuper de mon testament – elle se trouvait en conflit d'intérêts, et de toute manière, mieux valait que j'y repense – et qui m'annonçait qu'elle devait recevoir un autre client. Elle me proposait de ne pas rentrer tout de suite chez moi. Nous pourrions nous retrouver pour le lunch, une heure plus tard, dans un café au coin de la rue. Nous devions aller au bout de cette histoire.

Que pouvait-il donc y avoir au bout de cette histoire? Dehors, j'ai erré comme un zombie dans la tempête, insensible à la morsure du froid. En traversant la rue, j'ai glissé sur une plaque de glace recouverte de neige, et je suis restée quelques minutes assise par terre, dans un état de stupeur, jusqu'à ce qu'un passant me demande si j'allais bien. J'ai dit oui. Qu'est-ce que je pouvais dire d'autre?

Quand je suis arrivée au restaurant, Geneviève était déjà là. Elle avait corrigé son maquillage et réussi à immobiliser la frange rebelle qui avait tendance à s'abattre sur ses yeux.

J'ai commandé un sandwich au prosciutto, elle, une soupe gratinée à l'oignon. J'ai pris une bouchée, mais j'ai eu de la peine à l'avaler. Geneviève n'a pas touché à sa soupe. Elle a sorti son téléphone pour consulter le calendrier des derniers mois.

— J'ai vérifié. À mon avis, nous ne sommes pas seules. Il y en a une troisième. D'après les dates de ses voyages et celles des voyages qu'il a faits quand il partait de chez vous, il y a des trous. Vous voyez ? Il y a cette semaine, ici, où il prétendait travailler et n'était ni chez vous ni chez moi. Où était-il alors ? J'ai comme l'impression que ce type se promène d'une maison à l'autre, d'une femme à l'autre. Il arrive avec ses promesses d'amour, ses homards et ses cadeaux, et après, il se fait vivre, sans même que nous nous en rendions compte. La réalité, c'est qu'en naviguant ainsi, entre nous, il n'a même plus *besoin* de travailler, il n'a qu'à fouiller dans notre frigo ou emprunter notre auto, étant donné qu'il s'est départi de la sienne, soi-disant à cause de ses fréquents voyages. Il vous a dit ça à vous aussi, n'est-ce pas ?

J'aurais aimé la contredire, mais je ne le pouvais pas. Ce studio qu'il prétendait avoir abandonné pour venir vivre chez moi, je n'y avais jamais mis les pieds, il était en train de le rénover quand nous nous étions rencontrés. Un soir, nous étions passés devant et il m'avait dit : « C'est là que je vis. » Et après, il avait atterri chez moi. Je ne lui avais jamais rendu visite à l'université et ne connaissais aucun de ses collègues, moi non plus…

Nous avions passé la deuxième semaine de février dans une auberge, à faire l'amour devant un feu de cheminée dans le décor le plus kitsch que l'on puisse imaginer. Il avait passé la semaine suivante chez Geneviève. Et la première semaine de mars à Cuba, pour la relâche scolaire. Mais où était-il durant la quatrième semaine de février ? Et la troisième de mars, alors qu'il n'était ni chez Geneviève ni chez moi ?

— Et si on essayait de retrouver l'autre femme? Qu'en penses-tu?

Quelque part au milieu de son histoire nous avions commandé une bouteille de vin, et à la moitié de la bouteille, nous étions passées au tu.

Retrouver la troisième femme? Je ne savais trop. J'ai ressenti tout à coup une immense fatigue et j'ai voulu rentrer chez moi. J'ai laissé mon numéro de cellulaire à Geneviève, en lui demandant de m'appeler si elle découvrait quelque chose. Au moment de partir, j'ai été prise d'une violente nausée et je suis allée vomir aux toilettes.

Dehors, la tempête s'était apaisée, le temps était devenu plus froid et la neige crissait sous mes pieds. J'ai marché jusque chez moi, et j'ai dû m'accrocher à la rampe pour ne pas déraper dans l'escalier glacé.

Les lumières de la cuisine étaient allumées et deux homards finissaient d'agoniser sur le comptoir. Les larges élastiques qui avaient retenu leurs pinces gisaient par terre. Les crustacés agitaient sporadiquement leur queue, mais avec de moins en moins de vigueur. J'ai cherché la bouteille de vin blanc, sans succès. Sam avait dû l'emporter, avec sa mousse à raser, sa brosse à dents et son rasoir. Notre garde-robe commun était étrangement vide, avec tous ces cintres libérés du poids de ses chemises et de ses vestons.

Des larmes de rage ont fini par me brouiller la vue et j'ai mis du temps avant de tomber sur le mot qu'il avait laissé sur la petite table dans l'entrée, près du téléphone. «Je pars pour une mission imprévue, plus longue que d'habitude, t'expliquerai au retour, je t'aime, xxxxxx, Sam. »

C'étaient bien ses mots, son écriture. J'ai regardé longtemps la feuille, sans comprendre. Quand le téléphone a sonné, il faisait déjà noir, la neige avait complètement cessé et les homards ne s'agitaient plus sur le comptoir de la cuisine. C'était Alice. « Ça va maman ? Au fait, c'est quoi cette histoire que tu nous as racontée l'autre jour ? T'as rencontré quelqu'un ? C'est chouette. Qui est-ce ? Ça marche encore ? Tu vas nous le présenter ? »

Elle avait l'habitude de dire ça : « C'est chouette. » Sa voix vivante et vibrante m'a tirée de ma prostration. « Non, non, t'as dû rêver, je n'ai rencontré personne. Bon, peut-être un petit moment, un ou deux rendez-vous, mais ce n'était rien, rien ni personne. On se retrouve quand ? T'as parlé à ta sœur ? Peut-être en mai, à Paris ? C'est beau, Paris, au mois de mai. »

*   *   *

— Madame Turcotte ? Madame Turcotte ? La notaire vous attend dans son bureau.

La réceptionniste a dû secouer mon épaule pour me tirer de ma rêverie et me faire comprendre que maître Bourgeois avait fini par triompher du trafic. C'était une femme longiligne au visage anguleux, vêtue d'un complet gris, qui m'a accueillie avec un sourire timide.

— Assoyez-vous, qu'est-ce que je peux faire pour vous ?

Je lui ai tout expliqué, mes filles, la maison, Sam, tout ça. Une heure et quelques centaines de dollars plus tard, j'étais l'heureuse détentrice d'un testament, pour la première fois de ma vie. Je pouvais mourir en paix.

Dehors, une neige légère tombait encore sur la ville. Je suis rentrée chez moi, je devais terminer un contrat avant la fin de l'après-midi. Sam n'était pas là, mais il avait déjà déneigé l'escalier. J'ai ouvert la porte du réfrigérateur et j'ai vu deux homards dans un sac de plastique, à côté de la bouteille de pouilly-fuissé.

Il est rentré tôt, cet après-midi-là. Quand il m'a demandé comment s'était passée ma journée, j'ai répondu : « Très bien, mon chéri, tu sais, aujourd'hui, j'ai fait mon testament. »

*Un billet pour Delhi*

Approche-toi de moi. Non, pas comme ça. Tire ta chaise plus près de mon fauteuil. Là, tu vois. Encore un peu, oui, mais soulève-la, sinon tu vas rayer le plancher. Ça fait des années que je te le dis...

C'est bon, tu es à portée de voix maintenant. À portée de ma voix en tout cas. Je n'arrive plus à parler normalement, les forces m'abandonnent peu à peu. Ça me demande des efforts de plus en plus grands simplement pour faire vibrer mes cordes vocales. Tu te rappelles comme je pouvais crier autrefois? Oui, je sais que j'exagérais parfois. D'autres fois, tu les méritais bien, mes cris. Mais c'est fini tout ça. Désormais, chaque phrase me vide un peu plus de ma force. Me lever, faire ma toilette, même respirer, tout me siphonne de l'énergie. Je ne sais plus combien il m'en reste. Ni pour combien de temps.

Oui, je veux bien, un verre d'eau. Tu y verseras quelques gouttes de jus de citron, d'accord? Et un peu de miel. Merci, ma chérie. Ça va aider, pour la voix. Voilà. Tu vois ici, sur ma table de chevet, à côté de mon lit? Il y a ces cachets blancs, je dois en prendre deux. Et puisque tu y es, ouvre le tiroir. Tu vois la filière noire? Oui, c'est ça, celle qui est retenue par un élastique. Apporte-la-moi, mais ne l'ouvre pas tout de suite.

Mets-la ici, sur la table basse. C'est de ça que je veux te parler. De voir ce document, là, devant mes yeux, peut-être que ça va me donner du courage. J'aurais sûrement dû le faire avant. Mais je n'en suis pas sûre. Avec les enfants, on fait une chose ou une autre, on n'est jamais vraiment certain. Et après, c'est trop tard.

Alors non, je ne t'ai rien dit. De toute façon, ton père ne voulait pas, sous aucun prétexte. Il croyait que ça ne te donnerait rien, de savoir tout ça. Ce qu'on ne sait pas ne nous fait pas de mal, disait ton père, et ce n'était qu'un autre de ces clichés qu'il affectionnait. Mais bon, on n'est pas ici pour critiquer ton père, c'est du passé, ça aussi. De toute façon, je ne l'ai jamais contredit là-dessus. J'ai longtemps pensé qu'il avait raison. Tu avais tout ce qu'il te fallait. Une maison. Des parents qui t'aimaient. Des grands-parents. Des amis. Des oncles, des tantes, des cousins. Des vacances à Cuba, dans le Maine ou en Europe. Ta vie était pleine. C'était notre vie, c'était nous, à quoi bon ajouter des informations compliquées et inutiles, qui risquaient de te perturber, de créer la fêlure qui détruirait notre harmonie.

Je vois que tu t'impatientes, je te connais bien, tu sais, quand tu croises et décroises tes jambes, quand tu entortilles tes cheveux autour de ton index, que tu te mords les lèvres, c'est que tu n'en peux plus, tu veux connaître la suite de l'histoire. Comme quand tu étais petite et que je prenais mon temps en tournant les pages de ton livre, avant de te mettre au lit. Tu voulais connaître la fin, là, maintenant, tout de suite. Et moi, j'aime bien faire les choses comme il faut. En prenant mon temps. Et cette histoire-ci, c'est la mienne. C'est aussi la tienne, évidemment. Et celle de papa, qui n'est plus là pour me dire quoi faire et quoi dire. Alors je vais te la raconter, mais à mon rythme.

Je vais d'abord m'installer comme il faut, tu veux bien replacer la couverture? Et avancer le pouf, pour que je puisse y allonger mes jambes? Là, c'est bon. Et toi, tu aimerais un café? Il y a la cafetière, au fond, près du grille-pain. Le café est dans le bocal en métal, à côté. Tu sais comment ça fonctionne? Oui, oui, je sais, tu es une adulte maintenant. Mais il n'y a rien à faire, pour moi, tu seras toujours ma petite fille. C'est vrai, tu ne mets pas de sucre? J'avais oublié. Alors viens t'asseoir à côté de moi, avec ta tasse de café. Bon, maintenant je peux commencer.

Il y a trente ans, j'ai bousillé mon utérus. Tu n'avais rien à voir là-dedans, c'était avant toi. Après quelques années d'essais et de déceptions, j'ai enfin réussi à concevoir. J'ai suivi tous les cours prénataux, je savais respirer pour calmer la douleur, je me suis inscrite à des séances de yoga et j'ai fait des exercices dans l'eau. Je ne pouvais pas être mieux préparée à donner la vie. Seulement, les choses n'ont pas fonctionné comme prévu. On a beau se préparer, la vie prend parfois des décisions à notre place. Cet accouchement a été un cauchemar. Hémorragie, déchirures, c'était une zone de guerre, avec mon ventre transformé en tranchée…

Non, l'enfant n'a pas survécu. Moi, difficilement. Je ne veux pas entrer dans tous ces détails. À quoi bon.

Seulement, après, je n'avais plus d'utérus. Par contre, je possédais toujours des ovaires tout à fait fonctionnels. Et ils faisaient leur boulot : ils fabriquaient des ovules. Mais il n'y avait plus d'endroit où loger un embryon.

Tu veux bien me verser un café, à moi aussi ? J'ai un peu froid, ça me réchaufferait. Noir, comme toujours. Pas de sucre, pas de lait, moi non plus. Voilà, merci. C'est fou comme on a toujours froid quand on vieillit. On a beau monter le thermostat, mettre des pulls chauds, des châles, il y a ce froid qui monte de l'intérieur.

Oui, je reviens à mon sujet, je sais que tu n'as pas beaucoup de temps, tu vas où ce soir ? Ah oui, au cinéma. Avec qui ? Léa ? Tu l'embrasseras de ma part, d'accord ?

Donc, après, j'étais dévastée. Tu n'as pas idée à quel point. Je voulais à tout prix avoir un enfant. Pas en adopter un, non, nous n'y avons jamais songé, ton père et moi. Mais un bébé qui serait notre prolongement, la chair de notre chair, comme on dit. Notre enfant.

J'ai mis un an à émerger de ma dépression. Une autre année à analyser toutes les options qui s'offraient à nous. Il n'y en avait pas des tonnes, en vérité. En fait, il n'y en avait que deux. Adopter, ce que nous avions déjà écarté. Ou faire appel à une mère porteuse. On pouvait aussi abandonner notre rêve d'élever un enfant, d'avoir une vraie famille, mais ça, pour nous, c'était hors de question.

Je te vois écarquiller les yeux. Tu n'en savais rien, nous avons bien gardé notre secret, ton père et moi.

Mais c'est bien de toi, de ton histoire que je parle. Il y avait un gros obstacle : le prix. Il fallait trouver plus ou moins cinquante mille dollars. Nous étions jeunes, pas très riches. C'est là que papa a arrêté ses études pour s'associer avec le bureau d'assurances de ton grand-père. Moi je travaillais déjà, un boulot administratif dans un bureau. Je ne gagnais pas beaucoup, mais voilà, nous avions deux salaires réguliers, nous avions acheté une maison, nous avons pris une deuxième hypothèque, et avec une partie du montant, nous avons pu investir dans un enfant. Toi.

Après avoir lu tout ce qui s'écrivait sur le sujet, nous avons compris que c'était l'Inde qui offrait le meilleur rapport qualité-prix. Désolée de décrire notre décision avec des mots aussi mercantiles mais c'est en ces termes qu'elle s'est posée. L'Inde offrait le meilleur service médical, les meilleures chances de succès, au meilleur tarif.

Nous avons fouillé sur Internet, consulté quelques groupes de discussion, correspondu avec quelques cliniques. Finalement, nous qui n'avions jamais quitté l'Amérique du Nord, nous nous sommes retrouvés dans une petite ville du Gujarat, la gorge nouée par l'émotion, le jour où la propriétaire de la clinique nous a présenté la jeune femme qui allait t'abriter dans son ventre pendant neuf mois.

Nous ne l'avons pas rencontrée pour de vrai, non, seulement vu sa photo, son dossier médical, tout ça. J'ai oublié son nom, depuis, mais tu le trouveras dans ce dossier. Comme celui de la gynécologue qui a prélevé mes ovules et les a fécondés avec le sperme de papa – bon, je suis désolée de décrire les choses aussi crûment, mais à ton âge, tu sais bien que les enfants ne naissent pas dans les choux. Je sais, c'est choquant, tout ça, mais écoute-moi.

J'ai été bourrée d'hormones et la récolte a été bonne. Nous avons obtenu cinq embryons. Celui qui semblait le plus coriace a été glissé au bout d'une longue aiguille dans l'utérus de la mère porteuse. Les quatre autres ont été congelés. C'est ce qu'on nous a dit en tout cas.

Je me souviens encore du visage de la jeune femme : elle paraissait jeune, à peine sortie de l'enfance, mais une ombre de tristesse flottait dans son regard. Elle avait déjà deux enfants. Elle vivait dans un village voisin, son mari était tombé malade, elle avait besoin d'argent. Les revenus de grossesse lui permettraient de payer l'école des enfants. Comment tu dis ? Oui, si tu veux, ses revenus de location. Ha ha.

La propriétaire de la clinique, comment s'appelait-elle donc ? Je n'arrive pas à m'en souvenir non plus. Mais c'est mentionné dans le dossier. C'était une femme étrange, énergique, efficace, mais aussi un peu dure, sévère. Elle n'avait pas de temps à perdre. Au début, elle était d'une grande patience, compréhensive, empathique. Mais une fois qu'on a eu signé le contrat, il était difficile de retenir son attention pendant plus de cinq minutes, examen médical inclus. C'était une vraie machine à féconder. Nous avions un million de questions et de doutes ; la plupart sont restés sans réponse.

Ce sont d'autres parents, qui logeaient comme nous dans un petit hôtel fréquenté essentiellement par des couples étrangers, qui nous ont rassurés. Ils vivaient la même expérience que nous, à des stades différents. Certains avaient déjà leur bébé et attendaient les papiers nécessaires pour le ramener chez eux, aux États-Unis, en Allemagne ou au Kazakhstan. Il y avait des couples de partout, c'était les Nations Unies, cet hôtel. Nous partagions parfois un curry qui nous mettait l'estomac en feu et nous nous racontions nos histoires et les obstacles qui se dressaient devant nous. C'était étrange de voir des gens qui n'avaient rien en commun, avec des parcours aussi différents, partager avec autant de détails des informations aussi intimes sur leur ovulation, leur cycle menstruel ou la qualité de leurs spermatozoïdes. Mais nous étions tous là pour ça, combattants dans une même bataille, celle de la procréation. Ça faisait tomber bien des barrières.

Une fois la grossesse bien confirmée, nous sommes rentrés à la maison, papa et moi. Tu ne peux pas imaginer la joie qui nous habitait alors, une joie doublée d'anxiété : chaque fois que le téléphone sonnait, nous craignions qu'une voix au bout du fil ne nous annonce une mauvaise nouvelle. Une fausse couche. Une malformation. Un avortement forcé.

Nous savions que notre mère porteuse cohabitait avec une soixantaine d'autres femmes qui, comme elle, portaient l'enfant d'un couple venu de loin. Comme ça, nous avions l'assurance qu'elle se nourrissait bien, qu'elle ne travaillait pas trop dur.

On nous a même promis qu'elle n'aurait pas de relations sexuelles pendant toute la durée de sa... enfin, de notre grossesse. Bon, moi, personnellement, ça ne m'aurait pas dérangée. Mais il y avait quelque chose de rassurant dans l'idée que rien ne troublerait la paix de ton habitacle. Non, évidemment, je ne savais pas que c'était *toi*. Mais je peux bien le formuler comme cela aujourd'hui, tu ne trouves pas? Rétrospectivement, je sais que c'était *toi*, ça ne pouvait être personne d'autre. Ce que tu peux être fatigante quand tu t'y mets. Toujours le mot pour contredire.

Bon, d'accord, nous étions étrangement satisfaits de savoir qu'aucune secousse indue, provoquée par le coup de boutoir d'un organe masculin, aucune contraction déclenchée par un éventuel orgasme, ne viendrait troubler la quiétude du fœtus. C'est mieux? Oui je sais, tu ne me trouves pas toujours drôle...

Tu ne dis plus rien tout à coup. Je sais, tu dois digérer tout ça. Ce que la mère porteuse en pensait? Mais je n'en sais rien. Elle avait signé le contrat. Elle devait bien savoir dans quoi elle s'embarquait. Peut-être que ça lui donnait un petit congé de sexe, non? Comment savoir. Arrête de me regarder avec cet air moralisateur. Tu aurais fait quoi à ma place? Et puis, tu voulais venir au monde ou pas?

Je sais, si tu n'étais pas née tu n'aurais jamais su ce que tu manquais. Mais arrête de philosopher, veux-tu? Autrement on n'en finira jamais avec cette histoire.

Je dois m'arrêter un peu, le souffle me manque. Tu veux bien m'apporter ma pompe? Non, je ne me rappelle pas où j'ai bien pu la ranger. Regarde dans la salle de bains, sous le lavabo. Ou non, plutôt dans mon sac à main. Voilà, c'est ça. Attendons un peu que le médicament fasse effet. Bon, je respire, continuons.

Ton père et moi, nous suivions de loin l'évolution de la grossesse. Nous avons préparé ta chambre, acheté un petit lit, une table à langer, des millions de pyjamas pour nourrisson, des biberons, des couches jetables, enfin tout l'attirail que ça prend pour accueillir un bébé.

Tous les soirs, nous dressions des listes de prénoms, par ordre alphabétique. Filles : Alexandra, Barbara, Charlotte, Fanny. Garçons : Antoine, Benoît, Charles, Francis. Bizarrement, nous ne trouvions aucun prénom intéressant commençant par un D… Mais dès que nous t'avons vue, nous avons su que tu allais t'appeler Delphine. C'était une évidence.

Le jour où nous avons reçu les images de l'échographie qui nous montrait, sans l'ombre d'un doute, que nous attendions une fille, nous avons vidé une bouteille de champagne pour célébrer l'événement. Pas que nous préférions une fille à un garçon, non. Ça nous était parfaitement égal. Mais de connaître le sexe du bébé, ça te campait déjà dans la réalité, tu devenais plus incarnée, moins abstraite. Ça nous permettait d'imaginer des robes, des cours de danse, des poupées, tout un tas de jouets roses. Nous buvions donc en trinquant à ta photo. Non bien sûr, pas à toi, mais au fœtus que tu étais. Ce que tu peux être agaçante, avec tes précisions, des fois.

L'accouchement était prévu pour une date précise

— la date de ta naissance. Nous avions opté pour une césarienne. Cela nous permettait de mieux coordonner nos congés, de mieux planifier notre travail. Et puis, nous avons aussi pu réserver notre vol à l'avance et économiser des centaines de dollars sur le prix des billets. Si la mère porteuse était d'accord ? J'imagine que oui. Mais elle n'avait rien à dire à ce sujet. Ce n'était pas son bébé à elle, c'était le nôtre. Tu n'es pas d'accord ? On aurait dû la consulter ? Tu as peut-être raison. Mais si tu savais le nombre de décisions que l'on prend dans la vie sans trop y penser…

Nous suivions aveuglément les conseils de la propriétaire de la clinique. C'est bizarre que je n'arrive pas à me souvenir de son nom. À l'époque, nous la voyions un peu comme un gourou, comme notre messie.

Et puis – là tu seras fière de nous – pendant au moins dix ans, après ta naissance, nous avons envoyé des cadeaux à ta mère porteuse. De l'argent surtout, pour l'aider à élever ses deux garçons. Son mari n'a jamais pu retourner travailler, il était devenu invalide. Elle portait le poids de sa famille sur ses épaules. Et elle nous envoyait des photos, en échange. Elle était vraiment belle, si délicate, avec ses saris chatoyants…

Alors, tu m'absous ?

Nous sommes retournés en Inde deux jours avant la date prévue de ton arrivée, anxieux et fébriles. J'étais hantée par le souvenir de mon propre accouchement. Et s'il arrivait quelque chose au bébé ? Alors tout serait à recommencer. Je ne m'en remettrais pas. Non, ma chérie, je ne me suis pas vraiment inquiétée pour la mère porteuse. Je sais que c'est difficile à concevoir. Mais moi, ce qui m'intéressait, c'était mon enfant. Elle était un peu comme notre facteur. J'espérais que la livraison du colis se passerait bien, c'est tout. Chaque jour, d'autres mères porteuses laissaient leur bébé à des gens que nous avons connus, à l'hôtel. Je présumais que ça se passerait bien pour nous aussi. Et pour Priyanka aussi. Tiens, elle s'appelait Priyanka, cela me revient tout à coup. C'est bizarre la mémoire, tu ouvres un tiroir et ça fait remonter des souvenirs.

J'espérais que l'enfant nous ressemblerait un peu, à papa et moi. Quelque part, au fond de moi, je nourrissais un doute irrationnel : et si le bébé devait avoir des traits indiens ? Par une sorte d'effet d'osmose intrautérine, ou pire, en raison d'une erreur du laboratoire.

Tous ces doutes se sont volatilisés dès que je t'ai vue. Tu venais tout juste de naître, tu étais déjà lavée et tout emmaillotée dans des langes blancs. Tu avais les yeux grands ouverts, on aurait dit que tu voulais dévorer le monde du regard. Tu étais contente d'être là. Tu voulais vivre. Puis, tu t'es mise à hurler. Et nous avons tous les deux éclaté en sanglots, papa et moi.

Nous avons vécu six semaines à l'hôtel, dans cette bourgade poussiéreuse où nous avons fini par abandonner toute velléité de t'emmener en promenade, à cause du brouhaha des autos, des vendeurs ambulants et des vaches qui déambulaient au milieu du chaos général. Pour te dire la vérité, nous n'avons rien vu de l'Inde. Nous aurions aussi bien pu être allés te chercher au Groenland, ça n'aurait pas été différent.

La mère porteuse est restée à la clinique pendant deux semaines, pour pouvoir te nourrir de son lait, quatre fois par jour. C'est à ce moment-là que nous avons finalement fait sa connaissance. Nous avions peur qu'elle s'attache au bébé, enfin, à toi, pendant qu'elle t'allaitait. Nous te déposions entre ses bras avec un pincement de jalousie. Puis nous quittions la pièce, pour attendre qu'elle ait terminé. En même temps, nous éprouvions une immense gratitude à son égard. Le dernier jour, avant de la quitter, nous lui avons glissé cinq billets de cent dollars dans les mains. Elle a dit « *Thank you* » avec un grand sourire. Puis elle est partie en faisant onduler son sari, sans jeter un regard sur toi.

Ton téléphone vient de vibrer, tu veux répondre ? Non ? Seulement lire tes messages ? C'est bon, je vais en profiter pour m'étendre un peu et fermer les yeux. Il y a longtemps que je n'ai pas autant parlé.

Je me revois dans cette petite ville du Gujarat, à contempler la plus belle fillette du monde. Tout avait fonctionné comme sur des roulettes. Nous avions des dettes, mais nous allions pouvoir les rembourser peu à peu. Avec le temps, ton père reprendrait ses études, moi, je finirais par trouver un boulot qui me conviendrait vraiment. Nous aurions nos joies et nos peines, nos moments de bonheur et nos disputes, bien sûr. Mais à ce moment-là, dans cette petite ville du Gujarat, nous nagions dans le bonheur.

C'est lors de notre dernière rencontre avec la propriétaire de la clinique, quand le temps était venu de régler nos frais et de signer les derniers papiers, que papa a eu la présence d'esprit de s'enquérir du sort des quatre embryons congelés.

— Nous les avons jetés.

— Quoi? Mais nous n'avons jamais donné notre autorisation! Comment avez-vous pu? Et si jamais on voulait recommencer? Avoir un autre enfant?

C'étaient des protestations de principe, car nous savions bien que nous n'aurions jamais les moyens de recommencer. Et puis, il était trop tard. Elle nous a montré une ligne dans notre contrat, écrite en lettres microscopiques, où nous avions apparemment autorisé la clinique à disposer des « embryons excédentaires » à sa guise – oui, c'est comme ça qu'on les appelle. Embryons excédentaires. Tes frères et sœurs. Désolée mais génétiquement, c'est de ça qu'il s'agit. Il faut bien nommer les choses. Je me suis trop longtemps enfoui la tête dans le sable.

Un soupçon de doute, le sentiment d'avoir été trahis, abusés, s'est insinué dans nos esprits, pour s'évaporer aussitôt. Peu importait après tout. Nous t'avions, toi. Nous pouvions rentrer chez nous, notre bébé dans les bras. Notre vie de famille pouvait commencer, comme nous en rêvions depuis des années.

Si j'y pensais, à ces embryons abandonnés? Oui, parfois. La nuit. Dans des rêves étranges où je voyais des fœtus alignés sur une étagère, flottant dans du formol, dans des bocaux de verre qui ressemblaient à des pots de confiture. Je m'éveillais alors en sursaut, le cœur battant. Puis, je passais dans ta chambre. De te voir endormie, tes cheveux roux éparpillés sur l'oreiller, les bras entourant un ourson de peluche, le pouce dans la bouche, ton souffle chaud soulevant ta poitrine, eh bien, ça m'apaisait. Et je retournais me coucher.

Tu crois que j'ai été une mauvaise mère ? Mais ce n'étaient pas mes enfants, ce n'étaient que des embryons. Je n'étais pas la seule dans mon cas, crois-moi. Finalement, quelques mois après l'accident de papa, alors que je me débattais avec les compagnies d'assurances, et avec mon deuil, j'ai reçu le coup de fil d'un enquêteur de Delhi. La police indienne avait démantelé un vaste réseau de trafic d'embryons. La clinique où nous t'avions conçue, puis fait porter et allaiter par une jeune femme qui avait l'air d'une adolescente, eh bien, cette clinique était dans la mire des enquêteurs.

Ils avaient saisi les dossiers, confisqué les ordinateurs, interrogé le personnel. Notre histoire à nous, qui datait alors de plus d'une décennie, faisait partie de celles qui avaient attiré leur attention.

J'ai répondu à leurs questions. Ils m'ont expliqué que l'Inde avait fait le ménage dans les cliniques de fertilité qui, à l'époque, faisaient tout et n'importe quoi. Désormais, elles n'avaient plus le droit de desservir des clients étrangers. Il y avait eu trop de dérapages, trop d'abus. Une histoire en particulier avait choqué l'opinion publique, à l'époque. Des parents avaient rejeté un bébé parce qu'il était né avec une malformation, je ne me rappelle plus laquelle. Tu imagines l'imbroglio ? Qui allait s'occuper du bébé abandonné ? La mère porteuse, qui n'avait déjà pas d'argent pour subvenir aux besoins de ses propres enfants ? Un orphelinat ? Ce commerce avait beau être lucratif, il n'avait aucun sens.

C'est ce qu'ils m'ont raconté, les enquêteurs. Ils m'ont aussi dit croire que mes embryons congelés n'avaient jamais été mis au rebut. Ils pensaient qu'ils avaient été portés par d'autres femmes et donnés en adoption à des couples auxquels ils pouvaient vaguement ressembler.

La clinique avait fait affaire avec une quarantaine de pays différents. Va donc savoir où auraient pu échouer mes quatre embryons en trop. Oui, tu as raison. *Nos* quatre embryons. Mais papa n'était plus là, à l'époque. Et j'en avais déjà tellement sur les bras. Je leur ai dit que je ne voulais pas savoir. Qu'ils fassent leur enquête, j'étais prête à leur dire tout ce que je savais. À répondre à toutes leurs questions. Je leur ai envoyé les copies de tous les documents de la clinique – tu trouveras les originaux ici, dans ce dossier. Mais je ne voulais pas savoir ce qu'ils allaient trouver. C'était trop, je croyais que ça ne me concernait pas. J'avais aussi peur que ça réveille des émotions oubliées, chez moi.

Quelques années plus tard, j'ai appris que la gynécologue qui t'avait fabriquée avait été condamnée à la prison, après un procès retentissant, la propriétaire de la clinique aussi. J'ignore si l'enquêteur qui m'avait jointe à l'époque travaille toujours pour la police de Delhi. Je n'ai pas gardé ses coordonnées et j'ai oublié son nom. Je voulais tourner la page, clore ce chapitre de ma vie.

Tu me vois venir, maintenant, avec mes gros sabots ?

Oui, c'est vrai, ces derniers mois, j'y repense beaucoup. De savoir que quatre embryons, issus de la rencontre entre quatre de mes ovules et quatre spermatozoïdes de papa – mais oui, arrête ton cirque, ton père fabriquait du sperme, comme tous les hommes, ne fais pas cette moue dégoûtée – eh bien, de savoir que ces quatre embryons se baladent peut-être quelque part sur la terre, en Allemagne, en Finlande ou en Australie, ça me ronge du matin au soir. J'y pense sans arrêt. Tu trouves ça bizarre ?

Tu crois que c'est parce que je suis malade et que je vois arriver le terme de ma vie ? C'est possible. C'est même tout à fait ça.

Oui, tu as raison, je visualise quatre enfants du même âge, j'imagine quatre jeunes femmes comme toi. Mais peut-être que certains embryons ont été congelés pendant des années, peut-être que certains se sont détériorés, que la fécondation a raté. Il y a peut-être des garçons, aussi. Ces quatre personnes que je vois dans mon esprit ne sont jusqu'à un certain point que ça, une fabrication de mon esprit.

N'empêche. J'ai vécu pendant toutes ces années en fermant les yeux sur leur existence. Mais ces enfants-là ont toujours vécu dans un coin de ma conscience. Et maintenant que je vais mourir, ils se réveillent. Ils me font signe. Et tout à coup, ils existent.

Si j'ai pensé à eux ? À ce que cela leur ferait de savoir d'où ils viennent ? Non, pas vraiment. J'aimerais simplement savoir ce qu'ils sont devenus. Ça ne veut pas dire que je veux m'immiscer dans leur vie. À la rigueur, je ne suis même pas obligée de leur dire la vérité, à eux. Il me suffirait de les voir de loin, sans leur parler.

Tu dis que c'est trop tard ? Que je fais ça pour moi, pour assouvir un désir égoïste ? Et alors ? Et puis, je le fais aussi pour toi, tu ne comprends donc pas ? Pour que tu puisses savoir, toi aussi. Non je ne projette pas mon désir sur toi, je ne te demande pas d'accomplir une tâche dont je me suis délestée, pendant toutes ces années. Ça ne te concerne pas ? Vraiment ?

Tu fronces les sourcils. Tu m'en veux. Tu trouves que j'aurais dû aller au bout de ma décision. Ne pas changer d'avis maintenant, alors que je ne peux plus faire mes recherches moi-même. Ne pas t'accabler de ce fardeau. Puisque moi, je n'ai pas voulu savoir, j'aurais dû te laisser dans l'ignorance, toi aussi. Tu crois que tout le monde y perdra ?

Je comprends ta colère, je comprends même que tu portes un jugement sur moi. Nous vivons comme nous pouvons, tu sais, nous sommes portés par les valeurs et les modes de notre époque. Aurais-je fait autrement aujourd'hui ? Peut-être. Les temps ont changé. De nos jours, il me serait impossible d'aller faire porter mon bébé par une femme qui n'a pas de quoi nourrir ses propres enfants, à l'autre bout de la planète. Ces échanges commerciaux sont devenus limités, quasi impossibles. Mais ils étaient possibles à l'époque. Et nous en avons profité, papa et moi. Toi aussi, d'ailleurs, ne l'oublie pas. Sinon, tu ne serais pas là. N'est-ce pas ?

Tu me passes le dossier ? Je veux te montrer quelque chose. Non, tu ne veux pas voir ? Je comprends, c'est comme ça que j'ai réagi depuis le début. Pendant trop longtemps.

Mais plus maintenant. Aujourd'hui, je veux savoir. Je voudrais avoir une idée de la vie qu'ont vécue mes quatre autres enfants. Tes frères. Tes sœurs. Ou un peu des deux. Je ne sais pas. Je voudrais connaître l'année où ils sont nés, le pays où ils ont vécu, à quoi ressemble leur vie.

Tu me dis que nous sommes bien plus que la somme de nos gènes? Que l'environnement où nous grandissons nous façonne davantage que notre hérédité? Que tu n'as rien de commun avec eux? Je n'en suis pas si certaine. Mais ça vaudrait la peine de vérifier.

Donne-moi mon sac à main. Regarde. Je t'ai acheté un billet pour Delhi, tu pourras toujours changer la date si elle ne te convient pas. Je paierai le supplément. Je te donnerai aussi l'argent pour l'hôtel et tous les autres frais. J'en ai trouvé un qui semble pas mal, pas trop loin du quartier général de la police.

C'est par là qu'il faudrait commencer, je pense. Tu peux essayer de rencontrer la gynécologue, en prison. Peut-être se souvient-elle de moi. Tu es intelligente, perspicace, tu sauras quoi faire, j'en suis sûre. Tu peux attraper un fil et essayer de le remonter. Après le fil d'Ariane, le fil de Delphine... Oui d'accord, ce n'est pas très drôle. Bon.

Ce que j'essaie de te dire, finalement, c'est que si je pouvais découvrir ce qui est arrivé ne serait-ce qu'à un seul de ces embryons avant de mourir, je m'en irais l'âme en paix. Tu comprends?

Tu trouves que c'est trop, pour toi? J'en suis désolée. Tu es la prunelle de mes yeux, tu es ce que j'ai eu de plus précieux dans ma vie, la source de mes plus grands bonheurs, de mes joies les plus profondes. Et aujourd'hui, tu peux m'aider à trouver la paix avant de mourir.

S'il te plaît, ne me juge pas. Ne dis pas non tout de suite. Promets-moi d'y penser un peu. On s'en reparle dans quelques jours? S'il te plaît, tu veux bien? C'est vrai? Tu vas y réfléchir?

Tu ne sais pas combien je t'en suis reconnaissante. Prends les biscuits au chocolat que j'ai faits pour toi, l'autre jour, quand j'avais un peu plus d'énergie. Maintenant, tu peux replacer cette couverture sur mes pieds. N'oublie pas de fermer à clé en partant. Je vais dormir un peu, je crois. Je vais attendre de tes nouvelles, demain.

Demain, tu me diras oui.

*Objets inanimés*

Il n'y avait plus personne dans la cour. C'était à cause de la pluie qui venait de nous tomber dessus, une pluie froide gorgée d'eau et de vent. Nous étions assis sur le muret derrière le carré de sable, à observer le torrent qui emportait notre château, avec ses annexes, son écurie et ses fortifications.

Notre royaume n'était plus qu'un champ de boue et la pluie s'abattait sur nous avec de plus en plus de force. Des mères et des grand-mères sont apparues aux fenêtres. L'air s'est rempli des prénoms de mes amis, « Piotreeeeeek », « Mareeeeeek, il pleut, reviens vite, tu vas attraper un rhume ».

L'un après l'autre, les garçons ont haussé les épaules en reniflant et ils sont partis après avoir donné des coups de pied dans les ruines de nos constructions.

Personne ne m'appelait, moi, alors j'ai continué à regarder la pluie qui creusait des ravins sous notre ville anéantie. Je m'appelle Alexandre, mais à l'époque, je m'appelais Olek. Mes parents étaient partis à l'étranger, comme ceux de ma voisine d'en face, ceux de ma cousine et ceux des jumeaux du troisième. Beaucoup de parents partaient à l'étranger et s'il nous arrivait de nous ennuyer d'eux, nous attendions avec impatience leurs colis remplis de boîtes de jus d'orange et d'ananas, de jeans, de petites culottes d'une couleur différente pour chaque jour de la semaine et de paquets de gomme à mâcher Wrigley ou Juicy Fruit.

Nous, les enfants des parents partis à l'étranger, avions accès à des biens autrement inaccessibles, des denrées qui évoquaient un monde plus vaste et plus neuf que le nôtre. Nous pouvions enfoncer nos mains dans les poches de nos jeans ou souffler des bulles de gomme rose avec les lèvres avant de les laisser s'écraser sur notre nez. Nos amis nous regardaient avec envie, décuplant notre plaisir par l'expression de convoitise qu'ils essayaient en vain de réprimer.

En attendant le retour de mes parents, je vivais avec ma grand-mère qui habitait chez nous depuis toujours. Après leur départ, elle nous avait cédé sa chambre pour emménager dans celle que nous partagions autrefois tous les quatre : mes parents, ma sœur et moi. C'est aussi là que mes parents avaient l'habitude d'accueillir leurs invités, pour boire, parler de politique ou jouer aux cartes. Ils transformaient alors leur lit en canapé, en y posant des oreillers fleuris, et dressaient une table pliante pour y disposer leurs verres de vodka, des tranches de saucisson et du hareng mariné. Puis ils fermaient les fenêtres, pour que les voisins n'entendent pas leurs discussions.

Depuis qu'ils étaient partis, pour la première fois de notre vie, nous disposions enfin d'une pièce rien qu'à nous, ma sœur et moi. Je pouvais laisser le rail de mon train électrique déployé toute la nuit, à condition de ne pas empiéter sur l'espace réservé à ma sœur. Désormais, nous pouvions nous endormir sans devoir nous enfouir sous la couette pour couvrir les rires et les cris des adultes, ou échapper à la fumée de leurs cigarettes. Nous étions enfin chez nous, ma sœur et moi.

« C'est un arrangement temporaire, ne vous habituez pas trop », nous avait avertis notre grand-mère. Tout redeviendrait comme avant quand mes parents rentreraient au pays, avec assez d'argent pour acheter une télé et peut-être même une auto de marque française ou américaine – pas une vulgaire Moskvitch en carton, comme celle du voisin qui passait ses jours de congé à fouiner sous le capot, pour la réparer.

Même si je savais que j'allais alors devoir retourner dans la grande chambre commune, je comptais les jours jusqu'au retour de papa et maman. Ils me manquaient, évidemment, et j'étais troublé chaque fois que je ne parvenais plus à évoquer avec précision les traits de leur visage. J'avais aussi très hâte de monter avec nonchalance sur la banquette arrière de notre voiture occidentale et de démarrer dans une pétarade, en saluant mes amis d'un signe de la main.

Il pleuvait toujours et je commençais à frissonner. J'ai tâté ma poche : la clé était bien là. J'ai traversé la cour pour ouvrir la grande porte en bois et monter les trois étages en courant. L'appartement était vide. Ma sœur était partie en randonnée avec des amis. Ma grand-mère n'avait pas terminé ses courses. Et moi, je ne savais pas quoi faire. J'avais déjà lu tous mes livres, mes amis étaient tous chez eux, ou à la campagne ou à la mer.

J'ai retiré ma veste imbibée d'eau et je l'ai laissée

dégouliner dans la baignoire. Mon estomac gargouillait, alors j'ai cassé des œufs pour préparer une omelette, que j'ai accompagnée de pain et de confiture. Puis je me suis installé sous la table avec mon assiette, et j'ai fait semblant d'être perdu dans la forêt et d'avoir été forcé de me réfugier dans une grotte.

Pendant que je terminais mon repas, j'ai repéré le nécessaire de couture que ma grand-mère avait rangé sur une chaise glissée sous la table. La boîte en bois où elle rangeait ses boutons se trouvait à sa place habituelle, tout au fond du panier. Petits, grands, ronds, carrés, opaques, nacrés ou translucides : les boutons, c'étaient mes jouets préférés, mon antidote contre l'ennui, ma télévision à moi.

Quand ma grand-mère rallongeait mes pantalons ou reprisait mes chaussettes, avec des fils méticuleusement cousus sur le tissu qu'elle avait auparavant tendu sur une ampoule, je jouais par terre, à ses pieds. Et les boutons formaient des régiments de soldats, des voleurs et des policiers, des alpinistes qui suivaient leurs chiens dans les hauteurs abruptes des Tatras.

Je pouvais passer des heures à les placer en position pour négocier un passage au-dessus d'une crevasse du mont Giewont ou pour fuir les nazis par les canaux de Varsovie. Ils étaient forts et courageux. Ils étaient héroïques.

Mais cette fois, quand je les ai retirés de leur boîte, ils sont restés couchés sans rien faire. Ils n'étaient rien du tout, seulement des boutons. Je les ai classés par ordre de grandeur, de forme et de couleur. Je les ai fait avancer, je leur ai ordonné d'escalader des montagnes et de grimper dans des arbres. Ils continuaient à me fixer de leur regard de poisson échoué sur une plage. Ils étaient inanimés, ils étaient morts.

Pendant que je m'acharnais à les faire ressusciter, j'ai entendu des pas devant la porte et la clé qui tournait dans la serrure. C'était ma grand-mère. Elle avait accroché un collier de rouleaux de papier de toilette autour de son cou et serrait un poulet sous son bras. « Sors de là et regarde », m'a-t-elle ordonné, en souriant avec satisfaction tel le pêcheur exhibant sa prise. Je me suis redressé pour regarder son butin, abandonnant les boutons éparpillés sous la table.

Ma grand-mère a déposé ses trophées sur le comptoir et elle a tiré une enveloppe de sa poche. En plissant les yeux, sous les timbres représentant la reine d'Angleterre et le président George Washington, j'ai reconnu l'écriture fine et inclinée de maman.

Dans sa hâte de lire cette lettre qui nous apportait un peu de la voix et de l'odeur de mes parents, ma grand-mère s'est appuyée contre la table, sans même prendre la peine de s'asseoir. Elle a essuyé son front avec la manche de sa robe, elle a déplié la feuille et elle a plongé dans sa lecture.

Les boutons formaient toujours une mosaïque désordonnée sous la table. Je les guettais du coin de l'œil : peut-être allaient-ils revivre, après tout ?

Quand j'ai relevé la tête, ma grand-mère se tenait si immobile que pendant quelques secondes, je me suis demandé si elle n'avait pas été contaminée par la paralysie qui avait gagné mes boutons. Mais non : sa poitrine se soulevait tout doucement, avec régularité.

À un moment, son visage s'est contracté, elle a replacé ses lunettes et froncé ses sourcils. Elle a lu et relu la même page, pendant une éternité. Puis elle s'est assise, a laissé tomber la feuille sur ses genoux et s'est mise à pleurer. Sa poitrine faisait de drôles de soubresauts, elle gémissait pendant que des larmes inondaient ses joues. C'était la première fois que je la voyais pleurer. Je ne savais pas quoi faire pour la consoler.

Nous sommes restés comme ça pendant un moment, ma grand-mère en pleurs, mes boutons morts et moi. Elle fixait la fenêtre où il n'y avait rien à voir, sauf la pluie. Ses sanglots ont fini par s'espacer. Elle a puisé un mouchoir dans son sac à main et s'est mouchée bruyamment, comme un homme.

Après elle a dit : « Tes parents restent là-bas. Ils ne reviendront pas. Ta sœur et toi, vous irez les rejoindre. Bientôt. »

Les billets d'avion étaient déjà achetés. Nous partirions à la fin de l'été, pour ne pas rater la rentrée scolaire, là-bas. Nous aurions droit à une valise chacun, ma sœur et moi. Pas une petite valise, mais pas une grosse valise non plus. Non, je ne pourrais pas la bourrer de livres. Il faudrait laisser mon vélo, mes soldats de plastique et mon train électrique derrière moi. Je pouvais en faire cadeau à mon cousin ou à un ami.

Pour les livres, j'avais intérêt à m'habituer. Dorénavant, nous allions lire d'autres livres, dans une autre langue.

— Non, je ne sais pas quand vous pourrez revenir. Sûrement pas avant cinq ou six ans. Moi, je reste ici, c'est trop tard pour moi, mais pour vous, quelle chance formidable. Vous aurez une nouvelle vie, de nouveaux amis, vous serez libres.

À voir son visage défait, notre voyage n'avait pas tellement l'air d'une chance, mais d'une condamnation. Je n'étais pas naïf : j'avais vu plusieurs de mes amis partir, aucun n'était jamais revenu. De toute façon, dans cinq ans, j'en aurais quinze. L'idée de moi à cet âge me paraissait inconcevable. Qui, parmi mes amis, se souviendrait encore de moi ? Je ne voulais aller nulle part, je voulais rester chez moi, avec ma grand-mère. J'ai scruté son visage pour essayer d'y lire un message rassurant, mais il n'y en avait pas.

Puis elle s'est redressée, elle a lissé sa robe avec ses mains, comme pour en chasser des miettes invisibles, et la lettre a glissé sur le plancher. Au lieu de se pencher pour la ramasser, elle a saisi un couteau tandis que de l'autre main, elle a agrippé le poulet qu'elle a plaqué de toute sa force sur la table. Puis, d'un seul coup, elle lui a tranché la tête. Des restants de plumes ont revolé avant de redescendre en tournant lentement dans l'air.

J'ai regardé les boutons répandus sur le sol : ils ne donnaient toujours aucun signe de vie. Ce n'étaient que de stupides boutons. J'en ai pris une poignée et je les ai projetés de toutes mes forces jusqu'au plafond. Ils sont retombés comme de gros confettis en plastique.

— Qu'est-ce que tu fabriques, tu ne trouves pas que

j'en ai assez comme ça, a crié ma grand-mère en essayant de m'attraper par le bras.

Je lui ai tourné le dos, j'ai claqué la porte et j'ai dévalé les trois étages en courant. Les boutons avaient bel et bien fini d'agoniser. Et dans un éclair de lucidité, j'ai eu cette éblouissante révélation : bientôt, je ne serais plus tout à fait moi. Bientôt, je deviendrais quelqu'un d'autre. Je serais alors un peu mort, moi aussi.

Dans la cour, il ne pleuvait presque plus. Seulement quelques gouttes, de plus en plus fines. J'ai vu mes amis qui se rejoignaient près du carré de sable, avec des seaux et un ballon. Je les ai rejoints sur le muret. Nous avions le temps de jouer encore un peu.

*Rouge betterave*

L'horloge murale indiquait trois heures moins le quart. Ou était-ce neuf heures et quart? Elena a plissé les yeux en s'efforçant de distinguer la petite aiguille de la grande, mais la ligne continue reliant le 9 et le 3 lui a paru brouillée, tout comme le vaisselier surchargé de bibelots, le kilim sur le mur, les photos des enfants et de leurs enfants, le samovar recouvert d'une poupée à la jupe matelassée. Tous ces objets quotidiens semblaient fondus en un brouillard de textures et de couleurs.

Où était-elle, au fait? Elena a tâté sa poitrine, pour retrouver les lunettes écrasées sous le poids d'un livre ouvert, elle a repoussé la couverture de laine et appuyé sa tête contre le dossier du canapé.

Les formes se sont affinées et elle a remarqué la lueur du soleil dans le coin droit de la grande fenêtre, là où il amorçait habituellement son déclin, en après-midi. Elle s'est concentrée et a fini par retrouver les contours de sa vie : elle s'était assoupie sur le canapé du salon, dans sa tour accrochée au flanc nord du mont Royal. L'automne était déjà avancé et seule une poussière de feuilles jaunies recouvrait encore les arbres sur la montagne. Elle avait quatre-vingt-deux ans. Et elle attendait l'arrivée de Boris.

En se relevant, Elena a remarqué qu'elle s'était

endormie sans avoir enlevé son tablier. Était-elle en train de cuisiner ? Ah oui. Elle s'est rappelé avec angoisse qu'il ne lui restait que trois heures pour préparer le repas. Pour lui. Boris.

Elle ne l'avait pas vu depuis combien de temps ? Deux ans, au moins. Peut-être trois. L'image du petit garçon à la frange ébouriffée a émergé de sa mémoire, lui arrachant un sourire. Il y avait des années que Boris avait perdu ce visage rond, les boucles blondes qui s'abattaient sur son front avaient depuis longtemps disparu, laissant à découvert ses tempes saillantes et son crâne irrémédiablement nu et lisse.

Boris. Quand il lui avait téléphoné, la veille, elle avait mis du temps à reconnaître sa voix.

— Salut tantine, lui avait-il lancé d'une voix rauque et pendant quelques instants, elle n'avait pas su quoi répondre : qui donc pouvait s'adresser à elle de cette façon ?

Autrefois, quand il venait chez elle après l'école et qu'elle l'aidait à faire ses devoirs, ou quand ils jouaient aux dames ou aux échecs, il l'appelait « tantine Elenotchka » et il se blottissait contre sa poitrine, avec son corps frêle et chaud.

« Petit Boris, pauvre petit », murmurait-elle alors en caressant ses cheveux souples et bouclés. Puis elle lui servait une assiette de borchtch, la soupe réconfortante que ses propres enfants boycottaient avec une intensité telle qu'Elena ne pouvait s'empêcher de penser que ce n'était pas seulement une question de goût. Non, en repoussant le bol d'où s'échappait une vapeur suave, ils rejetaient aussi une part fondamentale d'Elena, comme s'ils voulaient refermer hermétiquement une porte qu'elle s'entêtait à garder ouverte, envers et contre tous.

Tout le contraire de Boris qui avalait la soupe à grosses lampées bruyantes, en laissant le bouillon de betteraves dessiner une moustache rouge au-dessus de ses lèvres. Ils en riaient ensuite tous les deux, devant le miroir.

Elena préparait son borchtch avec des fèves, des morceaux de viande, de la ciboulette et de la betterave coupée en julienne. C'était ce qu'il aimait, Boris. Dans la mémoire d'Elena, Boris et le borchtch ne faisaient qu'un.

C'était ce qu'elle lui avait servi la dernière fois qu'il était passé chez elle, à sa sortie de prison. Elle l'avait alors trouvé amaigri, agité. Il tournait en rond dans le salon, avait ri étrangement quand, déconcertée par sa fébrilité, Elena lui avait proposé une partie d'échecs. Il ne l'avait pas écoutée, n'avait pas répondu à ses questions. De temps en temps, il tapait quelque chose sur le clavier de son cellulaire.

— Elle est bonne, ta soupe, tantine, avait-il dit finalement, en effleurant son bras d'un geste distrait. Mais je dois y aller maintenant. Je te rappelle.

Et il avait disparu, laissant derrière lui une sensation de vide exacerbée par son bref passage.

Son silence avait duré trois ans. Puis, il y avait eu ce coup de fil et cette voix rauque qui disait : « Bonjour tantine. » Dès qu'elle eut raccroché, Elena s'était précipitée à l'épicerie pour acheter les betteraves, les carottes, une pièce de bœuf, tout ce qu'il lui fallait pour préparer le plat qui allait peut-être leur permettre de retisser le lien unique qui avait existé, autrefois, entre eux. Le fil rouge qui reliait Boris non seulement à elle, Elena, sa tante, mais aussi au pays lointain qu'elle avait quitté, enfant, avec sa petite valise et sa famille en fuite.

Elle aurait voulu préparer le bouillon dès le retour, mais la sortie l'avait laissée épuisée et elle avait estimé qu'en se levant tôt, le lendemain, elle aurait amplement le temps de cuisiner.

Elle s'était donc éveillée avec l'aube, avait pris un thé au citron et une biscotte, avait avalé ses comprimés. Qui donc devait venir lui rendre visite ce jour-là ? Ah oui, Boris.

Elena s'était installée devant la table de la cuisine, avait pelé les carottes, les oignons et les panais, les avait recouverts d'eau, avait ajouté la viande et avait laissé mijoter le bouillon. Puis elle s'était étendue pour lire et avait dormi pendant plusieurs heures. Un autre pan de journée venait d'être aspiré par un trou noir.

Maintenant, Elena devait se dépêcher. Elle a lissé son tablier, pris appui sur la planche à découper et a entrepris de peler les betteraves, poussant péniblement le manche du couteau de son index. Le jus rouge imbibait sa peau et formait des taches foncées sur le papier journal où elle laissait tomber les pelures. Tant de fois elle avait fait ce geste. Ça devenait de plus en plus difficile à cause de l'arthrite.

Boris. Dès sa naissance, il avait été un enfant difficile. Il criait plus fort et plus longtemps que les autres, et n'avait pas fait ses nuits avant l'âge de trois ans. Ses parents étaient jeunes et impatients. Andreï, le frère cadet d'Elena, exultait d'une fierté mâle et atavique en rentrant de l'hôpital avec son poupon emmitouflé. Un poupon qui semblait avoir hérité de ses yeux bleus et de ses pommettes slaves.

Mais les cris, les pleurs, les coliques et les nuits blanches avaient rapidement usé sa fibre paternelle. Il était devenu de plus en plus irrité par cette créature braillarde qui l'empêchait de vivre et de dormir à sa guise. Plus il se montrait excédé, plus Boris hurlait. Et plus Boris hurlait, plus sa mère, Monique, se pétrifiait : elle avait cru accoucher d'une poupée qu'elle pourrait cajoler et replacer dans son berceau selon son désir, et c'est une bête féroce qui venait de prendre le contrôle de ses jours et de ses nuits.

Monique pouvait passer de longues heures étendue sur son lit, les rideaux tirés, les yeux fermés. Quand elle les rouvrait, c'était pour découvrir qu'elle vivait parmi des étrangers. Qui était cet homme, Andreï, qui l'avait rendue esclave d'un poupon tyrannique ? Et qui était-elle, au juste ?

Andreï débarquait souvent chez Elena, son paquet vociférant dans les bras.

— Peux-tu le prendre pour la nuit ? Je dois m'occuper de Monique, demandait-il, avant de filer sans attendre la réponse.

Elena avait eu ses enfants à l'aube de la vingtaine, ils étaient déjà adultes à cette époque et ne passaient à la maison qu'en coup de vent. Un baiser sur le front, un paquet de cigares au chou ou des *varenkis* dans un contenant de plastique, « merci *maminka* », « au revoir », « à bientôt » et c'était fini. Elle travaillait bien à temps partiel dans une galerie d'art, mais ce n'était pas assez pour combler le vide laissé par le départ de ses enfants.

Alors, pendant qu'Andreï tentait de sauver Monique, Elena, elle, reprenait la routine d'autrefois : « as-tu lavé tes mains ? », « as-tu fini de lire ton livre ? », « as-tu terminé tes devoirs ? », « non, pas de télévision, brosse tes dents, mets ton pyjama, après je te lirai une histoire », « viens, on répétera la table de multiplication des huit, c'est la plus difficile je trouve, huit fois six, huit fois sept, huit fois huit… ».

Souvent, ils s'endormaient ensemble, Boris et Elena, tout pelotonnés dans le petit lit d'enfant qu'elle avait ressorti de la cave, pour lui, et quand elle s'éveillait en sursaut au milieu de la nuit, elle se levait avec des gestes lents et le recouvrait doucement avec la couette de duvet, pour ne pas le réveiller.

Avec le temps, l'état de Monique s'était dégradé et elle passait de longues périodes dans un institut psychiatrique. Puis Andreï avait perdu son emploi à l'usine de cartons, avait loué un taxi et passait des nuits entières à travailler. C'était le seul emploi qu'il avait pu dénicher. Il n'avait pas d'autre choix.

À cette époque, Elena accueillait Boris pendant de longues périodes, parfois deux ou trois semaines. Elle corrigeait ses devoirs, se rendait aux réunions scolaires, le nourrissait, l'accompagnait chez le coiffeur et le dentiste. Elle ne faisait pas ça par obligation, ni dévouement, du moins n'en avait-elle pas conscience. Simplement, c'était sa vie et il n'y avait pas d'autre solution. « Et toi, tu aurais fait quoi ? Je ne peux quand même pas l'abandonner », répliquait-elle à ses amies qui lui disaient qu'elle devait penser à elle, qu'elle avait atteint l'âge de la liberté, celui où l'on peut enfin s'occuper de soi.

En réalité, elle prenait plaisir à s'occuper du gamin et c'était ça le plus important, à ses yeux. Elle le faisait pour la lumière qui dansait parfois dans le regard de Boris, quand ils se retrouvaient à son retour de l'école. Pour leurs éclats de rire communs, devant le miroir qui reflétait une moustache rouge sous le nez retroussé de Boris. Elle s'occupait de lui parce que c'était un enfant, qu'elle était une adulte et que, d'une certaine façon, ils avaient besoin l'un de l'autre.

Jusqu'au moment où tout avait dérapé. Comment cela avait-il commencé ? Elena ne se rappelait plus. Un soir, Boris était rentré plus tard que d'habitude. Elle avait voulu l'attendre mais s'était endormie devant la télévision.

— Pourquoi es-tu rentré si tard ? Tu aurais dû me prévenir…

— Arrête de t'inquiéter, tantine, j'étais chez des amis, ils n'avaient pas le téléphone, c'est tout.

Après, il s'était mis à découcher, de plus en plus souvent. Quand il rentrait, au petit matin, il se jetait sur le réfrigérateur, vidait le compartiment des fromages et des charcuteries, laissait des restants de pain et des traces de moutarde sur la table. Elle les nettoyait pendant qu'il dormait, en soupirant. Ah, Boris, qu'est-ce qui se passait donc avec lui?

Parfois, elle apercevait de drôles d'éclairs dans ses pupilles. Un jour, il avait jeté un manteau de cuir venu d'on ne sait où sur le dossier d'une chaise, dans la cuisine…

— D'où vient-il, ce manteau? Il a dû coûter cher. Je ne l'ai jamais vu sur toi.

— Ce n'est pas un manteau mais une veste, tantine. C'est un ami qui me l'a donné, depuis qu'il a grossi, il n'arrivait plus à l'attacher.

Elena n'avait pas osé lui dire qu'elle ne le croyait pas. En fait, elle se l'était à peine avouée à elle-même. Entre eux, il y avait maintenant une fêlure et elle ne voulait surtout pas s'obliger à la nommer.

\* \* \*

Elena a mis l'eau à bouillir en se demandant quand, comment, cette fêlure était apparue. Est-ce qu'elle aurait pu la prévenir? La colmater? Mais comment?

Un jour, en rangeant la chambre de Boris, elle était tombée sur des seringues dans un tiroir. Et sur une feuille garnie d'une longue liste de noms, avec des quantités et des montants d'argent. Elle s'était appuyée contre le mur, étourdie, puis elle avait compris. L'appareil photo qu'elle croyait avoir égaré. Le billet de cent dollars qu'elle pensait avoir laissé tomber dans la rue. Tout ça, c'était Boris.

Elle avait trop longtemps enfoui sa tête dans le sable. Elle ne pouvait plus continuer à faire semblant.

Ce soir-là, Boris était rentré au milieu de la nuit en faisant claquer la porte, avant de s'enfermer dans sa chambre pour allumer la radio et monter le son comme s'il était seul à la maison. La musique hurlait au point de réveiller les voisins, qui s'étaient mis à tambouriner sur le mur. Boris ne réagissait pas.

Le cœur battant, Elena avait frappé à sa porte, mais il ne semblait pas l'entendre. Elle avait attendu un peu, puis elle était allée se recoucher, après avoir enfoncé des bouchons dans ses oreilles. Pour la première fois, elle avait peur de Boris.

Le lendemain, il lui avait laissé un mot sur la table : « Je retourne vivre avec papa, ne m'attends plus, désolé pour le bruit. Merci pour tout. Boris. »

Le message était suivi d'un tas de petits *x*, comme autant de baisers. Rassurée, Elena le relisait parfois en se disant que son petit Boris existait toujours, qu'il était toujours présent dans ces mots, dans ces bisous virtuels. Mais elle n'en avait pas moins fait le tour de l'appartement pour faire l'inventaire de ses possessions. Elle avait cherché, malgré elle, les objets manquants. Son collier de perles noires avait disparu. Mais peut-être l'avait-elle tout simplement égaré. Elle était si distraite, parfois...

Elena n'avait plus revu Boris que sporadiquement, par la suite. Il ne s'annonçait jamais, sonnait à la porte à n'importe quelle heure, prenait à peine le temps de s'asseoir. Parfois, elle lui offrait de l'argent. Ou alors elle laissait délibérément un bijou ou un billet de banque à la portée de sa main. Il s'en emparait en se cachant à peine. Et repartait aussitôt.

Une fois, il lui avait dit qu'il avait besoin d'argent pour une cure de désintoxication.

— Tantine Elenotchka, je ne peux plus continuer comme ça. Tu le sais, non ? Je ne vais vraiment pas bien. J'ai peur. Peur de devenir fou. Peur de ne pas m'en sortir.

Comment refuser ? Puis il avait disparu pendant plusieurs années : c'était son premier séjour en prison. Chaque fois qu'il réapparaissait, elle espérait que cette fois, ce serait le vrai Boris. Le petit garçon qui avait autrefois dormi calé contre son ventre, dans ses bras.

Il n'était pas mauvais, en vérité. Mais il n'avait pas eu de chance. Cette mère noyée dans son désespoir. Ce père rivé au volant d'un taxi. Non, un jour, Boris comprendrait. Un jour, il lui reviendrait. Elena en était convaincue.

« Peut-être qu'il va bien, maintenant, peut-être que ce jour est arrivé », a songé Elena en égouttant les betteraves. Elle s'apprêtait à les couper en minces filaments quand elle a entendu la porte de l'ascenseur s'ouvrir, puis se refermer. Un bruit de pas. Un toussotement. Des coups saccadés sur la porte. Boris ? Elle ne se rappelait pas qu'il devait arriver si tôt.

Il est passé à côté d'elle sans dire un mot, l'a bousculée en fonçant vers la cuisine. Des gouttes perlaient sur son crâne dégarni et un halo d'odeur âcre flottait autour de son corps.

Elena a eu un doute : peut-être que ce n'était pas *vraiment* Boris. Peut-être était-ce quelqu'un d'autre. Un sans-abri attiré par le parfum de sa soupe. Un vendeur ambulant, un voisin égaré. Elle aurait nourri n'importe qui, pour se convaincre que cet homme ravagé n'avait rien à voir avec son neveu.

— T'as faim ? Tu veux manger ?

Elle lui a servi un bol de soupe, qu'il a avalée en trente secondes. Comme s'il n'avait pas mangé depuis des mois. Puis il a relevé la tête :

— Ton portefeuille. Où est-il ?

Quand Boris a ouvert la bouche, Elena a remarqué qu'il avait perdu ses deux incisives supérieures. Cette fois, c'était assez. Elle ne lui donnerait rien. Elle l'a vu avancer la main vers la chaise où elle avait posé son sac à main en rentrant de l'épicerie, la veille. Elle a trottiné vers lui, le souffle court, empoignant la courroie de cuir.

— Non, Boris, ça suffit. Va-t'en maintenant. Je ne veux plus te voir. Tu comprends ? Plus jamais, c'est fini.

Elle tirait sur le sac, de toutes ses forces.

— Eille, la tante, t'es forte, t'es forte, l'a-t-il défiée, en l'attirant vers lui.

Elle était assez près pour sentir son haleine rance, il riait maintenant, d'un rire mauvais, saccadé, comme un hoquet. Puis il a relâché le sac et toute la tension ainsi libérée a projeté Elena vers l'arrière, sur le sol. Dans sa chute, pendant une fraction de seconde, elle a pensé qu'elle s'était bien fait avoir. Cet homme, ce voleur, ce n'était pas Boris. Ce ne pouvait pas être lui. C'était un subterfuge. Une comédie.

Son neveu lui en avait bien fait voir de toutes les couleurs. Il ne lui avait pas montré beaucoup de reconnaissance, il s'était éloigné. Il avait eu de mauvaises fréquentations. Mais au fond, c'était un bon garçon. Seulement, il n'avait pas eu de chance. Même avec la meilleure volonté du monde, elle n'avait pas su remplacer sa mère. Le manque était trop grand, elle n'avait pas pu le combler. Mais qui d'autre y serait parvenu ?

Boris, le vrai, ne serait jamais allé jusque-là. Il pouvait voler, mais pas la bousculer. Il n'avait jamais été violent, impossible, elle en était sûre, ce n'était pas lui.

En tombant, Elena s'est cogné la tête contre l'arête de la table. Dans le désordre de sa chute, ses mains se sont abattues sur la soupière aux trois quarts pleine. Une veine s'est rompue sur son crâne et un filet de sang a formé une rigole, se mêlant aux taches de betteraves sur la nappe blanche.

*17 h 51*

Quand je cours, j'oublie tout. Les premières minutes sont les plus difficiles. Mes jambes pèsent mille tonnes, mes muscles plombés par la gravité refusent de m'obéir. Un pas, puis un autre, puis un autre. Chaque pas me supplie d'être le dernier.

Puis il se produit quelque chose, une sorte de déclic. Mon esprit se sépare de mon corps. Mes pieds se lèvent et se posent, je ponctue leurs mouvements en comptant dans ma tête – un, deux, trois, douze, treize, trente-quatre, trente-cinq, jusqu'à cent, puis je recommence. C'est comme une incantation, un contrepoint, moi je suis déjà ailleurs, dans l'odeur d'herbe et d'asphalte, l'humidité de la bruine, la moiteur de l'air.

Dissociés de la partie supérieure de mon corps, mes cuisses, mes genoux, mes mollets font ce qu'ils ont à faire, engrenages parfaitement ajustés, battants d'une horloge qui va et vient sans se poser de questions. À l'autre extrémité de mon corps, mes pensées se dissolvent dans la sueur granuleuse qui recouvre ma peau, la saveur du café qui remonte dans ma gorge, le bruit régulier de mes pas, mon sang qui cogne contre mes tempes.

Je ne suis pas une athlète et je ne cours jamais bien longtemps. Et pas très vite non plus. Théoriquement, je me prépare pour ma première course de dix kilomètres, mais je n'exclus pas la possibilité de changer d'idée à la dernière minute. Comme l'an dernier. Et l'année d'avant aussi.

Trois fois par semaine, je m'entraîne donc pour une course à laquelle je risque fort de renoncer. Toujours le même parcours, le long de la piste cyclable, jusqu'au parc dont je fais le tour deux ou trois fois, selon les jours. Pas de musique, pas d'écouteurs dans les oreilles, seulement le bruit de mes pas et le souffle de ma respiration. Pas d'objets encombrants non plus, juste un bracelet muni d'une petite pochette où je mets ma clé et ma carte d'assurance-maladie, au cas où.

J'ai couru comme ça aujourd'hui, sous une pluie fine et chaude, et quand je suis revenue devant ma maison, rouge, poisseuse et dégoulinante, j'ai voulu tirer la clé de la pochette, mais elle n'y était plus. Elle avait dû tomber pendant que je joggais, mais quand? La pluie devenait de plus en plus dense, au loin on entendait le tonnerre, et je ne m'imaginais pas refaire mon chemin à rebours, à la recherche de la clé perdue.

J'ai regardé autour de moi, j'ai scruté le trottoir, fouillé dans les plates-bandes qui bordent ma rue. Les iris et les hémérocalles étaient en fleurs. Mais il n'y avait pas de clé, seulement la terre boueuse et la pluie fouettée par le vent.

J'ai contourné la maison pour monter sur le balcon arrière, peut-être avais-je laissé la porte de la cuisine déverrouillée ou une fenêtre entrouverte. Sans succès :

toutes les issues avaient été bien fermées. Impossible de rentrer chez moi sans clé.

Je ne savais plus quoi faire. Finalement, j'ai frappé chez Lucie, ma voisine du troisième. Quand elle a ouvert la porte, j'ai eu l'impression qu'elle venait de pleurer. Elle avait les traits tirés et la voix pâteuse de quelqu'un qui n'a pas assez dormi. Oui, elle avait bien un double de ma clé, mais où ?

Je l'ai suivie jusqu'à la cuisine bondée de monde : ses deux sœurs, que je connaissais déjà, leurs conjoints probables, quelques enfants et beaucoup de têtes blanches, des gens qui m'étaient inconnus. La plupart portaient des vêtements sombres, des vêtements de deuil, et ça m'est revenu tout à coup : la mère de Lucie, qui occupait depuis toujours l'appartement du rez-de-chaussée, sous le mien, était morte quelques jours plus tôt. Comment avais-je pu l'oublier ?

Il faisait chaud, des sandwichs aux œufs découpés en triangles formaient des monticules sur l'îlot de la cuisine. Des bouteilles de bière traînaient un peu partout, sur les comptoirs et par terre, près de la porte du balcon.

Roger, le mari de Lucie, est passé devant moi sans me voir, une bouteille de Jack Daniel's à la main.

— Nous venons d'enterrer maman, a dit Lucie en me faisant signe de l'attendre sur le canapé du salon. Elle ne se rappelait vraiment plus où elle avait mis le double de ma clé.

Avec mon short mauve moulant et mon corps en sueur, je détonnais dans cette assemblée funéraire. Mais je n'avais pas vraiment d'autre choix. Je me suis donc enfoncée au milieu des coussins de duvet qui recouvraient son canapé blanc.

Après avoir fouillé dans les tiroirs du vaisselier, Lucie est repartie vers la cuisine, toujours à la recherche de ma clé. Je m'en voulais de lui infliger cette mission. Après tout, sa mère venait de mourir et ma présence dans ce salon était franchement incongrue.

Mais personne n'y prêtait attention et personne ne s'intéressait à moi. J'étais invisible, transparente, c'était comme si je n'avais pas été là. De loin, j'attrapais des bribes de conversations – ils en étaient à l'heure où toute la gamme des émotions avait été épuisée, laissant un vide où explosent les fous rires.

— Tu te rappelles la fois où nous avions renversé le mélange du gâteau au chocolat et où maman nous a donné des petites cuillères pour qu'on ramasse tout, toi, tu étais encore bébé, tu t'en étais mis partout, racontait en s'esclaffant la sœur aînée de Lucie.

— C'est vrai que maman avait sa vision de l'hygiène, elle croyait qu'il valait mieux ne pas trop fuir la saleté et les microbes, que c'était une façon de renforcer notre immunité.

Telle que je l'avais connue, la mère de Lucie était une femme austère, presque acariâtre, qui portait sur le monde un regard rempli de condescendance et d'amertume. Rien à voir avec l'image d'une jeune maman rebelle, entourée de bambins barbouillés de chocolat. Je lui en voulais parce qu'elle avait pris Jean en grippe dès que nous avions emménagé dans l'appartement du deuxième, trois ans plus tôt. Tout l'horripilait chez lui, sa façon de rire, de parler fort, de dévaler l'escalier en courant. Elle lui jetait des regards en biais en soupirant et en marmonnant des reproches. « Décidément, il ne pourrait pas faire moins de bruit, celui-là? Quelle idée de sortir les poubelles si tôt, le matin? »

C'était le genre de voisine à vous glisser des messages irrités dans la boîte aux lettres. « Il faut mettre un poids sur les papiers dans le bac de recyclage, sinon ils s'envolent partout. » Ou : « Des chaussures à talons aiguilles, ÇA FAIT DU BRUIT!!!!! Sur un plancher de bois. » Elle écrivait comme ça, avec des majuscules et des points d'exclamation.

Après quelques disputes mémorables, nous avions fini par adopter une sorte de pacte de non-agression, elle et moi. Nous ne nous disions rien, sauf « bonjour », « bonsoir ».

Depuis que Jean m'avait quittée, elle me jetait un regard interrogateur chaque fois qu'elle me croisait. Elle l'avait vu porter ses boîtes de carton jusqu'au camion de déménagement, lui avait lancé un « au revoir », quand il l'avait saluée dans un élan de civilité. Mais depuis, étrangement, j'avais le sentiment qu'il lui manquait. C'était comme si elle avait besoin d'une cible pour déverser son fiel. Je la soupçonnais d'être de ces femmes qui en veulent aux hommes, en vieillissant. Peut-être ont-elles de bonnes raisons pour cela, après tout.

J'ai essayé d'imaginer ma voisine enveloppée dans une robe d'intérieur, souriant avec douceur, coquette malgré l'heure matinale, les mains plongées dans une pâte odorante, se précipitant pour aller chercher l'appareil photo, « regarde, Lucie, regarde l'objectif » – mais c'était au-delà de mes capacités.

Lucie faisait partie de ces femmes qui, ayant été très belles dans leur jeunesse, ne s'avouent jamais vaincues. Elle avait l'habitude de porter des jupes très courtes qui laissaient désormais dépasser deux colonnes de chair blanche. Même là, pour les funérailles de sa mère, elle avait trouvé le moyen de s'affubler d'une robe moulante, bizarrement échancrée dans le dos. J'ai trouvé ça déplacé, c'était un jour d'enterrement, quand même. Mais peut-être que j'étais en train de devenir acariâtre, moi aussi ?

Un homme a franchi le seuil du salon pour insérer un CD dans une minichaîne, sur le vaisselier. La mère de Lucie avait, paraît-il, soigneusement préparé la trame sonore de ses funérailles. Ella Fitzgerald chantait *« Heaven, I'm in heaven »*, et encore une fois, ce clin d'œil à la nouvelle adresse de ma défunte voisine ne collait pas tout à fait à l'idée que je me faisais d'elle. Je l'avais sans doute mal jugée, comme tant d'autres gens dans ma vie. Comme Jean, par exemple…

Après tout, j'aurais dû mieux remplir mes bacs de recyclage et éviter de descendre l'escalier à la course, quand j'allais faire mon jogging. La fautive, c'était peut-être moi.

Maintenant, Édith Piaf faisait cascader ses *r* dans *Non, je ne regrette rien*. J'ai imaginé ma vieille voisine en train de penser à ses chansons, à l'ordre dans lequel elles seraient diffusées le jour de ses funérailles, à l'impression qu'elle souhaitait laisser à ses descendants. Celle d'une femme passionnée, qui a vécu pleinement et avec humour, et non celle de la vieille grincheuse qu'elle était devenue – en tout cas, avec moi.

J'ai jeté un coup d'œil vers la cuisine. Les montagnes de sandwichs avaient baissé, et Lucie s'était volatilisée quelque part, peut-être m'avait-elle oublié. Il ne pleuvait plus et il y a eu une sorte de mouvement vers le balcon, d'où fusait de temps en temps un rire trop nerveux pour exprimer de la joie. L'odeur de la fumée de cigarette s'est infiltrée dans l'appartement par la porte-fenêtre entrouverte.

Je grelottais de plus en plus. J'ai retiré mes chaussures pour enfouir mes pieds sous un coussin, dans l'espoir de me réchauffer un peu. Le temps s'était arrêté, j'avais l'impression d'avoir été extraite de ma vie pour flotter dans un espace où les sons et les bruits ne pouvaient plus m'atteindre. J'ai fini par ne même plus ressentir le froid.

Ma réalité semblait s'être effacée, me laissant privée de passé et d'avenir, déconnectée de tout. Il n'y avait plus ni disputes, ni rupture, ni pleurs, ni grossesse, ni espoir de retour. L'embryon accroché à la paroi de mon utérus n'avait plus de consistance. Il n'avait jamais existé, pas plus que mon ambivalence face à son avenir. Fallait-il le laisser vivre ? Fallait-il informer Jean de sa présence ? Et à quoi bon, si je devais ensuite décider de le renvoyer dans le néant ?

Depuis des semaines, ces questions tournaient dans

ma tête, tel un disque rayé. Et là, au milieu de ce salon désert, dans cet appartement où les proches de ma voisine morte se faisaient rire à coups de blagues de moins en moins drôles, pendant un instant, toutes mes voix intérieures se sont tues. Mon seul univers, c'étaient des coussins de duvet recouverts de coton d'un blanc immaculé. Et l'écho des voix qui me provenaient en sourdine du balcon.

C'est quand une crampe familière m'a tirée de ma torpeur que je l'ai vue, elle, une gamine de douze ou treize ans, qui me fixait, l'air concentré, depuis le pas de la porte. Quand elle s'est aperçue que je l'avais remarquée, elle s'est avancée vers moi en demandant : « T'es qui, toi ? »

Moi ? Une voisine. Une fausse sportive. Une égoïste qui n'a pas su comprendre l'homme qu'elle pensait aimer. Qui ne l'a pas senti se détacher d'elle, par lassitude et dépit. Une future mauvaise mère. Une trentenaire promise à de longues années de solitude. Tout cela à la fois ? Qui étais-je donc, exactement ? C'était une excellente question.

*   *   *

Ma grand-mère est morte à 7 h 28, mardi matin. Maman dit qu'il n'y a que deux événements, dans la vie, que l'on note aussi précisément, à la minute près. La naissance. Et la mort. Entre les deux, il n'y a que des approximations.

À 7 h 27, donc, ma grand-mère était vivante. Et

à 7 h 29, elle était morte. C'était comme ça, c'est tout. Tout le monde me demande si je suis triste. Je ne peux pas dire la vérité : non, je ne suis pas triste. Je ne suis pas joyeuse non plus. Je ne suis rien du tout.

Quand j'étais petite, nous allions chez ma grand-mère tous les dimanches. Elle nous servait du poulet, de la purée de pommes de terre et des petits pois. Au milieu de la table du salon, il y avait un bol rempli de bonbons. C'était ce que j'aimais le plus chez elle : son bol de menthes blanches dans lequel je pouvais puiser à volonté.

Ma grand-mère ne ressemblait pas à une grand-mère. Elle portait des robes décolletées et du rouge à lèvres flamboyant. Elle m'ordonnait de me tenir droite, de ne pas hurler, de ne pas traîner les pieds. Et de l'embrasser sur ses joues ridées en arrivant chez elle et avant de repartir.

J'avais toujours peur de faire quelque chose de travers. Je ne me souviens pas d'une seule fois où elle m'aurait fait rire.

Aujourd'hui, c'étaient ses funérailles, et quand maman, ma tante et mes oncles ont parlé à l'église, ils ont décrit une femme que je ne connaissais pas. Je ne sais pas laquelle de mes deux grand-mères était la vraie.

Après nous sommes allés chez ma grand-mère et il n'y avait pas de poulet, ni de pommes de terre en purée, ni de petits pois. Le bol à bonbons était vide. Maman a pleuré un peu, elle a fouillé dans des tiroirs à la recherche de je ne sais quoi, puis nous sommes montés chez ma tante Lucie, au troisième étage, pour manger des chips et des sandwichs aux œufs découpés en triangles.

Papa débouchait les bouteilles, la cuisine débordait de monde, surtout des gens que je ne connaissais pas. Mes deux cousines ne sont que des bébés. Autour de moi, il n'y avait que des adultes. Je n'avais rien à faire et je m'ennuyais.

Quand j'ai calé deux verres de vin rouge, personne ne m'a vue et ma grand-mère n'était pas là pour me dire : « Ne bois pas de vin. » Elle était morte. Des tas de gens s'entêtaient à me demander ce que je ressentais, mais j'ai fini par comprendre qu'ils n'attendaient pas vraiment une réponse. Ils voulaient juste dire quelque chose. Ma tête tournait et j'avais peur de vomir.

Par la fenêtre, j'ai vu des corneilles perchées sur la branche du gros arbre, dans la cour. Les corneilles sont des oiseaux très intelligents. Quand l'une d'entre elles meurt, les autres se rassemblent pour tenir une cérémonie funèbre. J'ai lu ça dans un de mes livres sur les oiseaux. J'aime beaucoup les oiseaux. Mais j'ignorais que les funérailles pouvaient être un signe d'intelligence. Peut-être chez les oiseaux ou chez les chimpanzés. Mais ici, chez ma tante Lucie, c'était loin d'être évident. Mes oncles disaient des niaiseries et se trémoussaient en riant. Je ne voyais pas du tout ce qu'il y avait de drôle.

À la fin, je ne savais plus trop où me mettre et je me suis dirigée vers le salon, en espérant qu'il n'y aurait personne. Tout se passait plutôt autour de l'îlot de la cuisine et sur le balcon, comme toujours. J'ai bougé discrètement, dans l'espoir que personne ne m'aborde pour m'offrir un autre morceau de sandwich, ou pour me demander si je me sentais triste et si j'aimais ma grand-mère.

Je me suis arrêtée à côté du vaisselier pour fouiller dans les CD rangés à côté de la minichaîne. Quand j'ai relevé les yeux, je l'ai vue : une femme que je ne connaissais pas, calée dans les coussins du canapé blanc. Elle avait les cheveux rouges et portait un short et un maillot mauves, qui contrastaient avec sa peau pâle. Elle avait enfoui ses pieds sous un coussin, comme si elle cherchait à se réchauffer.

J'ai demandé :

— T'es qui, toi ?

Elle a réfléchi un peu, puis elle a répondu, avec sérieux :

— Excellente question.

Après il y a eu un long silence. Puis, elle s'est mise à parler.

— Je suis la voisine du deuxième. J'ai perdu ma clé en courant au parc. Lucie, c'est bien ta tante ? Elle garde un double de ma clé. Elle est en train de le chercher. Il pleut.

J'ai vu que ses cheveux étaient mouillés, tout comme sa peau. Elle frissonnait. Je lui ai demandé si elle était triste parce que ma grand-mère était morte.

Elle a souri légèrement avant de dire :

— Non. La vérité, c'est que je ne m'entendais pas très bien avec ta grand-mère, mais peut-être que c'était un peu de ma faute. J'avais un amoureux et elle trouvait qu'il parlait trop fort. Qu'il faisait tout *trop*. On vivait ensemble, chez nous, au deuxième. Il voulait un enfant, moi pas. Pas tout de suite. Je n'étais pas pressée. Toutes mes amies qui ont eu un enfant ne parlent plus que de ça. Moi, je voulais profiter un peu de la vie, avant. Je ne voulais pas devenir comme elles. Mon amoureux s'appelait Jean. Il me disait que j'étais dure, insensible.

La femme s'est tue, puis elle a grimacé en faisant « aïe », comme si elle avait eu une crampe. Elle ne m'a pas posé de questions. Ça ne l'intéressait pas de savoir si j'étais triste d'avoir perdu ma grand-mère. Je me suis sentie soulagée. Puis elle a recommencé à parler.

— Mon amoureux a beaucoup insisté, tu sais, pour l'enfant. Puis, un peu moins. À la fin, il ne parlait plus aussi fort. Ni très souvent. En réalité, il ne parlait presque plus. Le jour où il m'a annoncé qu'il allait me quitter, j'ai pleuré, puis nous avons fait l'amour. Je crois que c'est ce jour-là que je suis tombée enceinte. Et là, sur le coup, j'ai voulu cet enfant. Et j'ai voulu que ce soit lui, le père. Mais je ne me décidais pas à lui annoncer la nouvelle. De toute façon, je ne suis pas certaine que ça l'aurait fait revenir. Quelque chose était déjà cassé, tu comprends ? Peut-être que je ne savais pas vraiment ce que je voulais, tout est si confus. Si je l'avais vraiment désiré, ce bébé, j'aurais arrêté de courir, non ?

Je ne comprenais pas pourquoi elle me faisait toutes ces confidences. Tout cela ne me concernait pas. En fait, j'avais l'impression qu'elle se parlait surtout à elle-même, comme si je n'avais pas été là. Je me suis assise au bout du canapé pour observer cette inconnue en maillot mauve qui grelottait dans le salon.

Elle a fini par se plier en deux et elle est restée comme ça pendant un bon moment. Elle devait avoir vraiment mal.

Puis tante Lucie est entrée dans le salon, avec une clé. Elle avait enfin fini par la retrouver. « Vous pourriez dire merci, franchement, arriver comme ça, à des funérailles », a dit Lucie avant de nous tourner le dos pour repartir vers la cuisine.

La femme aux cheveux rouges m'a fixée de ses yeux qui ne semblaient plus me voir. Quand elle s'est levée, j'ai vu le sang qui coulait sur ses cuisses. Et la tache rouge qui fleurissait sur le coussin blanc.

J'ai regardé ma montre, celle que maman m'avait donnée pour ma fête, le jour de mes onze ans.

Elle indiquait exactement 17 h 51.

*Un mari idéal*

À la fin, il reste si peu de choses. Trois culottes informes. Un soutien-gorge élimé. Une robe à manches courtes. Une robe à manches longues. Un châle de cachemire.

Sur la table de chevet, quelques photos dans des cadres dorés. De jeunes mariés fixent la caméra d'un air figé. Un homme pose à côté d'un orignal mort, un sourire de conquérant illuminant son visage mal rasé. Deux bébés grassouillets avec des cuisses pleines de replis jouent dans le sable.

Sur la commode, un vase à fleurs sans fleurs. Une petite théière de porcelaine. Deux tasses assorties. Dans un tiroir : un recueil de nouvelles de Stefan Zweig dans ce qui semble être une édition originale, en allemand. Un calepin, deux stylos Bic et une liasse de lettres manuscrites sur du papier fin, retenues par un élastique.

Dans la salle de bain : un dentier dans un verre d'eau, un sachet avec la poudre pour le nettoyer, des lunettes, une lime à ongles. Quoi d'autre ? Des pantoufles en peluche, un sac à main en skaï blanc, une reproduction des *Tournesols* de Van Gogh accrochée au mur, à côté d'un barbouillis d'enfant fixé avec un bout de scotch…

Je regardais les petites filles de madame Fischer rassembler les effets de leur grand-mère et je dressais mentalement la liste de ses possessions. J'ai beau avoir l'habitude, ça me consterne chaque fois : toute une vie résumée en un petit tas qui peut facilement tenir dans un sac d'épicerie.

Nous passons des années à accumuler des choses. Casse-tête, ballons, briques Lego, albums de timbres ou de cartes de hockey, pinceaux, crayons, bougeoirs, skis ou planches à roulettes, mixeurs, yaourtières, sofas et coffres antiques – et à la fin, il n'y a pas de quoi remplir une petite valise.

Cette réflexion familière m'a traversé l'esprit presque machinalement pour s'envoler aussitôt, cédant la place à une préoccupation plus immédiate. Les petites filles de madame Fischer mettaient décidément beaucoup de temps à vider la chambre de leur grand-mère. Assises sur le sol, elles avaient tiré les lettres de leurs enveloppes, elles s'en lisaient des extraits à haute voix. Elles s'esclaffaient ou éclataient en sanglots, parfois les deux à la fois. Rien dans leurs gestes n'indiquait la moindre hâte. Elles se comportaient comme si elles étaient chez elles.

De temps en temps, l'une d'entre elles s'exclamait : « Ça s'peut pas, ça, c'est toi qui as écrit ça, pendant ton premier voyage en France, mais tu racontes vraiment n'importe quoi, ha ha, et ça, c'est toi, regarde les fautes, tu as collé des pétales de pensées, et tu écris que tu penses à elle, pensées-penser, quelle poète, et là, là, tu dis que Wolfie a appris à lever la patte pour faire pipi, vous vous rappelez Wolfie ? Elle l'avait nommé Wolf-gang mais c'était trop difficile à dire… »

Je n'osais pas interrompre trop brutalement leurs réminiscences. J'ai souvent observé cette première étape du deuil : examiner les objets ayant appartenu au parent mort, toutes ces choses qui font resurgir des bouts de vie oubliés. On pleure et on rit, on se croit unique, mais en réalité tout le monde fait cela. Pendant ce temps, moi, j'ai une entreprise à gérer. Et une chambre à nettoyer avant de l'assigner à un nouveau locataire.

Et celles-là, franchement, elles auraient pu boucler l'opération en une heure, incluant la séance de nostalgie. Au lieu de ça, elles s'incrustaient, formant une grappe familiale compacte et impénétrable posée sur le linoléum gris.

Je me suis placée dans l'embrasure de la porte, espérant que ma présence finirait par les tirer de leur rêverie. Qu'elles émergeraient de cet espace irréel où leur grand-mère vivait toujours et ne ressemblait en rien à la carcasse au regard flou qui avait passé ses dix dernières années ici, au Manoir de l'horizon radieux, notre résidence aux colonnes prétentieuses offrant une vue imprenable sur une autoroute.

J'ignore qui a bien pu avoir l'idée de baptiser ainsi un lieu qui n'est, en réalité, qu'un mouroir. Terminus ou Dernière escale aurait été bien plus adapté. Mais la réalité, ici, est trop cruelle pour être appelée par son nom. Et au moins, on a su éviter les contresens trop brutaux. Dans le genre, il y a pire. Comme La Villa du bonheur ou Les Jardins de l'Éden…

Je me tenais donc au seuil de la chambre 203 du

Manoir de l'horizon radieux, pièce occupée pendant une décennie par madame Irène Fischer qui s'était éteinte deux jours plus tôt, à l'âge impressionnant de quatre-vingt-quinze ans. Elle ne souffrait d'aucune maladie particulière, si ce n'est de l'usure du temps. À un moment, tout était déglingué. C'est ce qu'on appelle mourir de vieillesse. La flamme vacille et s'éteint. Pffuit, c'est fini. Et c'est tout.

Et pendant que les quatre petites-filles de madame Fischer relisaient de vieilles lettres qu'elles ou leurs parents, ou des amis depuis longtemps disparus, avaient un jour envoyées à leur grand-mère, je pensais à ce qui allait suivre : la désinfection du lit, les nouveaux draps, une couche de peinture blanche sur les murs, quelques réparations, changer la valve du robinet, remplacer la lunette fêlée de la toilette. Les nouveaux arrivants sont sensibles à ces détails. Après, ils ne les remarquent même plus.

Les petites-filles de madame Fischer ne percevaient toujours pas ma présence. Quand j'ai voulu attirer leur attention en feignant un toussotement, l'une d'elles – une blonde oxygénée qui, à ma connaissance, n'avait jamais rendu visite à sa grand-mère – m'a lancé un regard ombrageux.

— Vous ne pouvez pas nous laisser tranquilles un moment ? Un peu de décence, s'il vous plaît.

J'ai baissé les yeux, l'air contrit, et j'ai filé sous la lumière blême des néons jusqu'à mon bureau, à l'extrémité du couloir, un étage plus bas. Coup d'œil à la fenêtre : il faisait un temps gris, avec des filaments de brume laiteuse en suspension au-dessus de l'enchevêtrement de voies bétonnées.

Le calendrier mural indiquait que nous étions mercredi. J'avais espéré accueillir le remplaçant de madame Fischer dès le lundi suivant, mais au train où allaient les choses, il valait mieux me résoudre à laisser passer une semaine. Et tant pis pour les jours de loyer perdus.

J'ai allumé l'ordinateur pour ouvrir un document intitulé « Liste d'attente ». Des dizaines de noms s'y empilaient, formant un véritable mur des lamentations, chaque cas étant plus urgent et plus pathétique que le précédent.

En éliminant les candidats morts depuis la dernière actualisation de la liste, et ceux qui avaient trouvé un autre endroit où loger, je suis tombée sur lui : un homme, quatre-vingt-six ans, atteint d'alzheimer, à un stade relativement avancé.

Il s'était cassé la hanche en tombant dans l'escalier de la maison familiale, dans un quartier du nord de la ville. Depuis, il avait subi une chirurgie et les os s'étaient ressoudés. Mais l'anesthésie avait accentué sa confusion et il ne pouvait plus retourner chez lui. La charge était devenue trop lourde pour sa femme, à peine plus jeune que lui. En attendant qu'on lui trouve une place, il était hospitalisé dans une aile de soins de longue durée, euphémisme désignant ces chambres où l'on parque les vieux qui n'ont nulle part où aller. Et qui prennent racine dans un lit qui pourrait servir à bien d'autres fins.

Prénom : Victor. Nom : avec une particule. Un nom

d'aristocrate, un nom qui sentait le sang bleu. Pour moi, ce serait monsieur Victor.

— Bonjour, qui est à l'appareil, je vous prie ?

Au bout du fil, des mots précis, coupés au couteau. La femme de monsieur Victor s'exprimait d'une voix basse, douce, presque un chuchotement, avec un accent français un peu précieux, mais pas trop. Un accent adouci par des années de vie au Québec.

Elle s'appelait Elizabeth. Elle a précisé : « Avec un z, pas un s. » Une nuance qui semblait avoir de l'importance. Mais la plupart de ses proches l'appelaient Elsa. On pouvait l'appeler madame Elsa, si on voulait. Cette fois, avec un s. Voilà.

Puis elle m'a inondée de mots de gratitude : « Oh vraiment, c'est formidable, je ne sais comment vous remercier », comme si je venais de lui annoncer qu'elle avait gagné une croisière pour deux dans les Antilles. En réalité, je venais d'attribuer la toute dernière adresse à celui qui avait partagé sa vie pendant des décennies. Et qui devrait désormais dormir seul dans un lit médical à une place.

Quand ils se sont présentés à mon bureau, douze jours plus tard, le vieil homme était accroché au bras de sa femme et la fixait constamment, comme si elle possédait le mode d'emploi d'un univers devenu indéchiffrable. Malgré cette attitude de dépendance, sa posture droite dégageait une impression de force et de dignité.

Quand je l'ai salué, monsieur Victor s'est tourné vers moi avant de regarder sa femme, l'air interrogatif. Elle lui a chuchoté quelque chose, comme si elle parlait une langue qui leur appartenait. Mais c'était bien du français. Il a ramené ses yeux sur moi, en articulant avec précision : « Bonjour, madame. Comment allez-vous ? »

Nous étions au milieu d'un printemps froid, humide et sale. Je les ai invités à retirer leurs manteaux épais, bien trop chauds pour la saison.

L'homme a commencé à tirer maladroitement sur sa manche, sans avoir défait les boutons. Sa femme l'a saisi par le coude et il s'est tourné vers elle, obéissant.

Et c'est là, pendant qu'elle détachait patiemment les boutons de ce manteau lourd et hors de saison, que le nouveau locataire de la chambre 203 a eu ce geste surprenant : il a retiré la main droite de la poche du manteau, l'a portée vers le visage de sa femme et lentement, longuement, il a caressé sa joue.

C'était un instant de tendresse presque impudique, une vibration qui m'a projetée dans un autre univers, une planète habitée non par des fantômes décharnés, mais par des êtres de chair et de désirs. J'étais figée, incapable de détacher les yeux de cette main criblée de taches de vieillesse, de ces doigts noueux qui caressaient avec douceur la joue affaissée.

C'est madame Elsa qui a rompu cet instant de grâce en saisissant la main de son mari pour l'aider à enlever son manteau. Elle a tiré sur chaque manche, comme on le fait avec un enfant, avant de me tendre le manteau et de se diriger vers l'ascenseur en soutenant monsieur Victor par le bras.

La valise qui contenait les effets de monsieur Victor nous attendait déjà à l'intérieur de la chambre 203, dont les murs fraîchement recouverts de peinture blanche encadraient un mobilier minimaliste.

Il m'est arrivé souvent, par la suite, de repenser à ce moment précis, l'instant où le vieil homme a caressé doucement la joue de sa femme.

Quand je rentrais chez moi, après des journées de travail qui s'étiraient souvent jusqu'à 19 heures et que je retrouvais mon mari rivé à son écran d'ordinateur. Quand nous partagions distraitement le repas du soir, sans même prendre la peine de l'agrémenter d'un verre de vin. Quand nous mangions l'un en face de l'autre et que je ne cherchais même plus de sujets de conversation. Quand mon corps se révulsait au bruit de sa mastication. Et quand le soir, au lit, nous nous tournions le dos, en essayant de mettre le plus d'espace possible entre nos corps.

Il m'arrivait alors de revoir la main de monsieur Victor caressant avec douceur et application la joue de madame Elsa. Et de contempler mentalement, avec une pointe de jalousie, toute l'intimité contenue dans ce geste.

Je n'étais pas la seule à éprouver de l'envie envers ce couple de vieillards. Un jour, à la cantine des employés, la conversation est tombée sur eux, monsieur Victor et madame Elsa. C'était quelques semaines après qu'ils eurent atterri chez nous, dans notre Manoir qui sent l'urine, la solitude et un produit de nettoyage à l'odeur de sapin.

Je ne me rappelle plus qui a lancé le sujet ni comment nous l'avons abordé. Mais je me souviens du regard de Juliette, l'une de nos infirmières, quand elle a dit, en versant un peu de crème dans son café :

— Moi, c'est un homme comme ça qu'il m'aurait fallu. Mais cette galanterie, cette prestance, essayez donc de trouver ça de nos jours…

Juliette était divorcée depuis peu et son histoire était banale à pleurer : du jour au lendemain, le père de ses trois filles l'avait larguée pour une femme plus jeune, moins fatiguée et plus conciliante qu'elle.

Mais d'où tenait-elle que monsieur Victor avait été un mari idéal ? a demandé Roxane, la réceptionniste. Bon, Juliette n'avait pas fait d'enquête à ce sujet, bien sûr. Ce qu'elle avait voulu dire, c'est que des hommes qui ouvrent la porte pour laisser passer une femme ou leur font le baisemain en inclinant le torse, eh bien, des hommes comme ça, il ne s'en fait plus. Et on voit bien que monsieur Victor est de cette trempe, qu'il a l'habitude d'accomplir ces rituels, qu'il appartient à la race des hommes galants. Même si certains de ces gestes se sont depuis égarés dans le flou de sa mémoire.

En réalité, c'est elle, c'est madame Elsa qui le lui avait raconté, a dit Juliette. Et pas seulement à elle. Aux autres membres du personnel aussi.

— C'est vrai, madame Elsa m'a parlé de ça à quelques reprises, de la galanterie, de la délicatesse de son mari, a reconnu Roxane.

Fatima, une préposée aux bénéficiaires, et une autre infirmière, Tania, avaient également appris, de la bouche de madame Elsa, à quel point monsieur Victor avait été un compagnon merveilleux, généreux et loyal.

— Et encore aujourd'hui, regardez-le, ce regard doux qu'il lui lance quand il la voit s'approcher de sa chambre, la façon dont il se tient devant la porte, droit, attentionné, pour la laisser passer et refermer doucement la porte derrière eux…

Un silence lourd de suppositions a interrompu notre conversation : ce couple de vieillards souffreteux, avec leur peau crevassée et leurs jambes variqueuses, se touchaient-ils encore à l'abri des regards ? J'ai repensé à mon mari, à nos sentiments usés, au vide qui s'était installé entre nous, et j'ai ressenti le besoin d'en apprendre plus. Comme si le secret du bonheur conjugal de monsieur Victor et de madame Elsa pouvait donner un nouvel éclairage, et qui sait, peut-être même un antidote, à ce qui, chez moi, ressemblait de plus en plus à un naufrage.

*   *   *

Madame Elsa arrivait tous les matins à bord de l'autobus municipal, qui la déposait à 8 h 15 précises en face de notre immeuble. L'arrêt était situé entre une animalerie fermée pour cause de faillite et un salon funéraire dont les affaires étaient florissantes, notamment grâce à son judicieux emplacement. Car l'horizon pas très radieux vers lequel cheminaient nos locataires se trouvait juste là, de l'autre côté de la rue…

Tous les matins, donc, madame Elsa s'extirpait péniblement du véhicule, sans oublier de saluer le chauffeur de la main. Elle traversait la rue à petits pas, slalomant entre des autos qui piaffaient d'impatience, soulevant avec peine son sac de toile rempli de saucissons, de pâtés, de fromage frais qu'elle allait lui servir sur une baguette, avec des cornichons.

Elle ne dérogeait jamais à ce rituel, même quand le ciel déversait des trombes de pluie, même quand elle devait s'arrêter tous les trois pas pour reprendre son souffle et que ses poumons émettaient un sifflement sec et strident.

En tant que directrice du Manoir de l'horizon radieux, je fréquentais peu nos patients et leurs familles. Avec le temps, je finissais bien sûr par connaître leurs visiteurs réguliers, ceux qui passaient les voir avec leurs bouquets de fleurs, leurs chocolats et leur énergie de vivants. Quant aux patients eux-mêmes, avec les années, j'apprenais forcément des bribes de leur vie. Mais je les reconnaissais surtout par les codes qui figuraient dans mes dossiers, par leurs fonctions biologiques déclinantes et par les problèmes qui en découlaient : un tel était devenu incontinent, un autre rôdait la nuit et volait des chocolats à ses voisins. Je n'avais pas vraiment besoin d'en savoir plus.

Mais avec monsieur Victor, c'était autre chose. Sa présence a créé une fascination parmi notre personnel, en majorité féminin. Elle avait éveillé une nostalgie pour un je-ne-sais-quoi de la vieille Europe, les chapeaux, les salutations, une galanterie surannée, un décorum, des hommes comme il ne s'en fait plus.

Et voici cette femme qui débarque tous les matins, à 8 h 15, et qui arbore le sourire épanoui d'une fiancée en route vers le bal… Comment était-ce possible ? Qu'est-ce qu'ils avaient donc que nous n'avions pas ?

J'avais l'habitude d'arriver au bureau à 7 h 30. Et dorénavant, dès 8 h, je guettais le passage de l'autobus. Quand je la voyais émerger du véhicule, minuscule, tremblotante et déterminée, je me dirigeais vers la réception et faisais mine de fouiller dans un tiroir, à la recherche d'un dossier égaré. Ou alors je prenais le combiné du téléphone et je composais n'importe quel numéro. Parfois, j'appelais simplement chez moi, pour raccrocher dès que madame Elsa apparaissait dans mon champ de vision, s'arrêtant tous les trois pas pour poser son cabas sur le carrelage.

Je lui demandais comment elle allait et comment son mari se plaisait chez nous. Est-ce qu'il avait bien digéré le choc du déménagement ? Ce n'est pas facile, pour quelqu'un de son âge, dans son état.

Souvent, je la félicitais pour l'assiduité de ses visites. Mais elle devait quand même faire un peu attention à elle. Est-ce que ce n'était pas trop difficile pour elle de venir comme ça, jour après jour, s'occuper de son mari ? Il fallait aussi qu'elle prenne soin de sa santé, après tout, elle n'avait plus vingt ans, elle non plus. N'était-elle donc pas épuisée ? C'est dur, vous savez, la situation des aidants naturels…

— Non, pas du tout. Vous savez, mon mari, c'était un héros, un homme extraordinaire. Encore aujourd'hui, je veux profiter de chaque instant où il est encore là, même s'il n'y est plus tout à fait. Je ne me sacrifie pas du tout. Si vous le désirez, venez donc nous rejoindre dans sa chambre, je vous offrirai un thé avec plaisir.

Je n'ai pas mis longtemps à accepter l'invitation. Ce jour-là, monsieur Victor attendait sa femme devant la porte, exactement comme Juliette l'avait décrit l'autre jour à la cantine. Il portait un cardigan bleu, boutonné de travers sur son col roulé d'un blanc immaculé. Ses cheveux formaient une strate de cumulus ébouriffés au sommet de son crâne. Il trépignait avec fébrilité et tenait la poignée de la porte dans sa main droite, derrière son dos, tel un enfant en attente d'une surprise. Son visage était soucieux, mais ouvert et souriant.

Quand il a aperçu madame Elsa, son corps s'est détendu. Il était en pays de connaissance. Son attitude m'a fait penser à un chien qui remue la queue à l'approche de son maître. Une fois celui-ci arrivé, il peut enfin baisser la garde.

— Elsa, Elsa, tu es là, a murmuré monsieur Victor en prenant sa femme dans ses bras, puis il nous a laissées passer toutes les deux, avant de refermer la porte derrière nous.

Une mosaïque de photos tapissait littéralement les murs de la chambre, recouvrant la peinture toute fraîche. Pas une seule reproduction, pas un seul paysage ou nature morte. Que des photos. La plupart représentaient un homme ressemblant à monsieur Victor à différentes étapes de sa vie. Sur la table de chevet trônait une photo de mariage assez classique, montrant un couple souriant dans un déferlement de fleurs et de taffetas.

Suspendue au-dessus de la commode, une photo représentait un homme en uniforme, l'air sévère, la poitrine bardée de médailles.

— C'est lui, c'est mon mari, après la guerre, a dit fièrement madame Elsa.

La bouilloire électrique a poussé un sifflement aigu, la vieille dame l'a débranchée, a laissé tomber deux sachets d'Earl Grey dans la théière, les a recouverts d'eau et a attendu que l'infusion soit prête avant de me faire signe de m'asseoir et de reprendre son récit.

— Quand les Allemands ont attaqué la Pologne, le 1er septembre 1939, nous venions tout juste de nous fiancer. Une belle cérémonie, au jardin du Luxembourg, avec des musiciens, des fleurs, des femmes en robes de bal. C'était magique. Nous n'avions en tête que notre mariage, prévu pour le mois de mai suivant. Ce devait être le plus grand jour de notre vie. Mais la guerre a chambardé nos plans, comme elle l'a fait pour tant de gens. Plus question de mariage. Nous avions tout juste vingt ans, les Allemands allaient bientôt entrer dans Paris. J'ai suivi mes parents en zone libre. Lui, il est resté.

Au début, il a écrit. Puis, les lettres ont cessé. Madame Elsa n'apprendrait qu'après la guerre pour la résistance, l'arrestation, le camp.

— J'étais jolie, à l'époque, blonde, menue, délicate, et j'ai eu d'autres offres, vous imaginez bien, a pris la peine de souligner madame Elsa, en battant des cils avec coquetterie.

Je n'avais pas de peine à la croire. Mais elle était la femme d'un seul homme, elle a repoussé tous ses prétendants, et elle a attendu. Pendant quatre ans, elle n'a pas reçu un seul mot de monsieur Victor. Elle n'avait que ses souvenirs. Puis, la libération, l'attente, le retour des rescapés. Quand elle l'a revu, monsieur Victor avait tellement fondu qu'elle a eu de la peine à le reconnaître. Mais il était vivant. Et il l'aimait toujours.

— Il a frappé à la porte, j'ai ouvert, il m'a prise dans ses bras et il a redemandé ma main. Cette fois, c'était pour de bon.

Madame Elsa s'est tue pendant un moment, puis elle a levé les yeux vers moi, comme si elle me prenait à témoin de cet ancien instant de bonheur. J'ai jeté un coup d'œil à monsieur Victor. Il s'était affalé dans son fauteuil et la regardait fixement, un sourire flou égaré sur son visage. Un mince filet de salive coulait sur son menton. Mais qu'est-ce qu'il avait donc de si spécial, comment avait-elle pu savoir que c'était lui et personne d'autre?

Elle m'a versé une autre tasse de thé, puis elle a réfléchi un peu, avant de se lancer. C'était surtout un homme dévoué et si délicat, contrairement aux maris bourrus et parfois grossiers qu'avaient épousés ses amies. Il la consultait sur tout, ne lui imposait jamais rien.

Ah, elles le lui enviaient toutes, ça, c'est sûr. Quand on dansait avec lui, on n'avait qu'à fermer les yeux et le suivre, il savait guider sa partenaire, deviner les mouvements à venir, cet endroit précis où votre pied se poserait tout naturellement.

— C'était un homme plein de grâce, tendre, généreux. Un homme de cœur, qui s'est battu pour son pays, qui savait comment rendre une femme heureuse, vous saisissez ?

Je n'étais pas certaine de comprendre et je ne trouvais certainement pas d'équivalent dans mon propre passé amoureux. J'ai avalé une dernière gorgée de thé et j'ai posé la tasse de porcelaine sur la commode, devant la photo de son mari en uniforme, avec sa poitrine bardée de médailles.

Je m'étais attardée déjà trop longtemps dans cette chambre et j'avais une tonne de dossiers à régler. Quand je me suis retournée vers eux, depuis le seuil de la porte, monsieur Victor était toujours recroquevillé sur lui-même, et madame Elsa lui a lancé quelque chose, sur un ton impératif.

Il s'est alors dressé pour s'approcher de moi, saisir ma main, la porter à ses lèvres, son corps entier esquissant une gracieuse révérence.

Quand j'ai levé les yeux vers madame Elsa, son visage affichait une expression de triomphe. L'air de dire : « Vous voyez bien, n'est-ce pas ? »

Au cours des semaines suivantes, j'ai pris l'habitude de m'arrêter chaque matin, vers 11 heures, dans la chambre 203, le temps d'un thé qu'elle me servait noir et sucré. Depuis qu'il avait emménagé chez nous, l'état de monsieur Victor avait rapidement décliné. Il ne parlait presque plus, son regard était vague et flou. Cela arrive souvent, les vieillards perdent leurs repères, après un déménagement. Mais il fixait toujours sa femme avec un dévouement absolu.

De retour derrière mon bureau, entre les mille et un problèmes que je devais régler chaque jour, j'essayais de déchiffrer le secret de leur bonheur. Et elle, comment se comportait-elle avec lui? Comment avait-elle fait pour préserver ce qui les avait unis, pour prévenir le silence et l'ennui qui chaque jour assassinait un peu plus mon couple? Peut-être faut-il posséder certaines qualités pour savoir recevoir avec grâce tous ces égards. Des qualités dont j'étais apparemment dépourvue.

— Ça n'a rien à voir, m'a un jour confié madame Elsa, l'important, c'est de bien choisir, au début.

Instinctivement, ou peut-être simplement par hasard, elle avait su faire le meilleur des choix. Elle revenait toujours à lui, à l'homme fantastique que la vie avait placé sur sa route un jour où elle dégustait un gâteau aux prunes dans un café du XVe arrondissement. Elle se souvenait de leur rencontre dans les moindres détails. Le gâteau aux prunes. Le nom du café. La robe et le chapeau qu'elle portait en cette journée de canicule.

Quand ils ont quitté le café, ils ont été surpris par une averse. Leurs corps se sont rapprochés sous la porte cochère où ils avaient trouvé refuge. Assez pour qu'il perçoive la douceur de son parfum. Quand l'averse a cessé, Victor a escorté Elsa jusque chez elle. Et dans un moment d'audace qui les a étonnés tous les deux, il l'a embrassée sur la joue – un baiser furtif et léger qui a scellé ce qui venait de naître entre eux.

Une rencontre, un gâteau, une robe, une pluie soudaine, un baiser et c'était parti pour la vie. Cette histoire semblait surgir tout droit d'un conte de fées, mais pour moi qui fonçais tout droit vers une débâcle, elle prouvait que le bonheur amoureux était possible. Sinon pour moi, du moins pour d'autres. Étrangement, je trouvais cette idée rassurante.

Ils étaient arrivés à Montréal peu de temps après la fin de la guerre. Monsieur Victor a enseigné, elle a tenu maison. Ils ont voyagé, si on met ça bout à bout, il y a là tout un tour du monde. Les photos les montraient devant la Grande Muraille de Chine, la mosquée Bleue d'Istanbul, le mur des Lamentations.

Un jour, je me suis étonnée de ne voir aucune photo d'enfant sur les murs de la chambre 203. Ce n'était qu'elle et lui. Madame Elsa et monsieur Victor devant des décors de cartes postales. N'avaient-ils donc pas eu d'enfants? Pas de couches à changer, pas de biberons à préparer, pas d'oreillons ni de scarlatine, pas de nuits d'insomnie à veiller un bébé fiévreux? Peut-être était-ce là la clé de leur bonheur.

Elle a écarté la question, en disant : « Ah, les enfants, vous savez. »

Non, je ne savais pas. À quarante et un ans, j'avais atteint l'âge où il faut prendre une décision. Dans mon cas, celle-ci semblait s'être prise toute seule, indépendamment de ma volonté. Et si parfois je pensais avec nostalgie au désir de maternité qui m'avait habitée dans le passé, les efforts qu'il aurait fallu déployer pour le raviver me paraissaient vains et immenses. Ce n'est pas avec deux zombies dans un lit grand comme l'océan qu'on fabrique des bébés.

« Ah, les enfants... » Qu'avait-elle voulu dire au

juste ? Qu'ils ne valent pas la peine ? Qu'ils sont par défi-
nition égoïstes et ingrats ? Qu'il faut se résigner à ne pas
compter sur eux ? Ou peut-être simplement, qu'elle
n'en avait jamais eu. Qu'elle aurait bien aimé, mais que
l'amour parfait qui la liait à son mari était un amour
infertile. Et qu'elle avait eu quelques regrets, mais que
finalement, c'était très bien comme ça.

Ce jour-là, le jour où nous avons abordé la question
des enfants, monsieur Victor s'est soudainement mis à
gémir avec une telle intensité qu'il a fallu lui administrer
un calmant. Dans les jours qui ont suivi, j'ai été empor-
tée par un tourbillon administratif qui m'a tenue occupée pendant plusieurs jours. Notre système informatique venait de flancher. Le chef cuisinier avait obtenu
un congé médical et il fallait le remplacer d'urgence. La
fille d'une patiente avait déposé une plainte pour mauvais soins et menaçait d'alerter les médias. Devant la
montagne de problèmes à résoudre, j'ai un peu oublié
monsieur Victor, madame Elsa et leur mystérieuse harmonie conjugale.

Quand la tempête s'est calmée, j'ai frappé à nouveau à la porte de la chambre 203. Je n'ai pas reconnu le
pas traînant de madame Elsa et c'est une femme de
mon âge qui m'a ouvert la porte d'un geste énergique.

Elle portait une écharpe fuchsia, nouée sur une
veste de cuir bleu. Ses paupières étaient enflées et
son mascara avait dessiné un ruisseau sombre sur sa
joue. Elle m'a accueillie avec un soupir impatient : « Je
n'y arrive pas ! Je ne sais vraiment pas comment m'y
prendre. »

À cette époque, monsieur Victor ne fréquentait déjà plus la cantine et il fallait le nourrir dans sa chambre, une cuillerée à la fois. Madame Elsa y mettait une patience d'ange. Méticuleusement, méthodiquement, elle enfournait des cuillerées de soupe ou de purée dans la bouche hébétée de son mari. Mais cette femme en veste de cuir bleu électrique, aux lèvres minces et aux yeux légèrement bridés semblait au bord de la crise de nerfs. Derrière elle, des restes de nourriture jonchaient le lit de monsieur Victor. De toute évidence, elle ne s'en tirerait pas toute seule.

J'ai appelé la réception. En attendant l'arrivée d'une préposée, j'ai demandé des nouvelles de madame Elsa. Elle m'a répondu que sa mère était malade. Soignée à l'urgence d'un hôpital à l'autre bout de la ville, pour une pneumonie. Et maintenant elle, la fille unique, devait courir entre ses deux parents, deux quartiers, deux établissements. Ça tombait vraiment très mal, parce qu'elle avait un échéancier hyper serré, elle était épuisée, elle allait craquer.

Contrairement à ses parents, il n'y avait pas d'inflexions françaises dans son débit, tout au plus un mot un peu recherché ici et là. Elle s'exprimait avec précision, comme une personne qui veut se faire comprendre du premier coup et qui n'a pas le temps de se répéter.

Je m'étonnais de n'avoir jamais entendu parler d'elle, mais j'ai bien pris garde de ne pas me montrer surprise.

Pour la réconforter, j'ai plutôt raconté comment

tout le monde, ici, admirait ses parents, sa mère si dévouée et assidue, et son père, ah, son père ! Madame Elsa nous avait dit à quel point elle avait été heureuse avec lui. Pour nous tous, ici, ils étaient devenus à la fois un exemple et une inspiration.

— Vous savez, ce n'est pas toujours joyeux, chez nous, mais vos parents nous apportent de la sérénité et du bonheur. Oui, vraiment, du bonheur. Vous avez de la chance d'avoir des parents aussi formidables.

Pendant que je parlais, la fille de madame Elsa et de monsieur Victor s'observait dans le miroir, essayant d'effacer la trace de mascara sur son visage avec une débarbouillette. Mais à ces mots, elle s'est tournée brusquement vers moi : « Ah oui, du bonheur ? Formidables ? Vraiment ? Quelle belle histoire, n'est-ce pas ? »

Elle s'est tue et ses yeux verts ont pris une teinte marron. Ils exprimaient de la consternation mêlée de colère, ou peut-être de mépris.

— Malheureusement, cette histoire, ce n'est pas mon histoire. Et elle n'est pas vraie. Désolée de vous décevoir. Je n'ai jamais connu le couple dont vous me parlez. Mon père a été un salaud, il a pourri ma vie et celle de ma mère. Elle a toujours fermé les yeux, elle l'aimait tellement son grand Victor, elle l'aimait plus que moi en tout cas. Il n'arrêtait pas de lui échapper. Mais maintenant, elle a gagné. Elle le tient. Il est à elle, complètement. Elle peut enfin se fabriquer le mari dont elle a toujours rêvé. Elle peut jouer à Elsa, et en faire son Aragon… « Tes yeux sont si profonds que j'y perds la mémoire », ha ha. Vous connaissez ?

Un homme en uniforme blanc s'est glissé dans la chambre et a entrepris de nettoyer les draps maculés de monsieur Victor. Sa fille a fini de nettoyer sa joue, elle a remonté la fermeture éclair de son veston et s'est avancée vers la porte. Avant de franchir le seuil, elle s'est retournée vers moi et m'a toisée de ses yeux redevenus verts.

— Ma mère a toujours pensé que j'étais responsable de tous ses malheurs. J'étais la rebelle, celle qui rompait la sérénité de son foyer, la fêlure dans l'intimité de son couple. Alors forcément, lui, son Victor, il allait voir ailleurs. C'est ça, son héros. Un type incapable d'affronter sa propre fille. Et qui la fuit dans les bras d'autres femmes. Ma mère croyait qu'on ne pouvait rien contre les besoins physiques des hommes. Elle était d'une autre époque. La galanterie de mon père n'a jamais été autre chose qu'un masque.

Elle a éclaté d'un rire mauvais, sarcastique, puis elle a balayé du regard les murs recouverts de photos.

— Vous voyez bien, ici, c'est un musée en l'honneur de mon père. Pas une seule photo de moi. Elle l'idolâtrait, elle l'aimait plus que tout, moi, j'ai été assez accessoire dans leur histoire…

Pendant un instant, j'ai cru voir en elle la petite fille triste et vulnérable qu'elle avait été, mais elle s'est vite ressaisie, avant d'ajouter :

— Il ne faut pas croire tout ce que ma mère raconte. Son mariage, c'est de la pure fiction. Mais il se peut que maintenant, enfin, elle soit heureuse. Qu'elle se soit apaisée. Il lui appartient. Finalement, il a besoin d'elle.

Tout seul, il est complètement perdu. Ils sont bien comme ça, dans leurs mensonges, dans leur dépendance mutuelle. Alors…

Sur ces mots, elle est partie, sans un regard pour son père qui mâchouillait docilement sa purée de navets.

Madame Elsa est revenue dix jours plus tard, par l'autobus de 8 h 15, avec sa respiration un peu plus sifflante et son cabas rempli de saucissons, de pâtés et de gâteaux. Quand elle m'a offert d'aller la rejoindre pour le thé, j'ai décliné l'invitation, prétextant un surcroît de travail. Le lendemain, elle était de retour, fidèle et loyale, comme toujours.

Les questions se bousculaient dans ma tête. Je voulais lui parler de sa fille. Lui dire qu'elle était venue en son absence. Lui demander pourquoi elle ne m'avait jamais mentionné son existence. Pourquoi n'y avait-il pas une seule photo d'elle sur le mur ? Pourquoi sa fille était-elle aussi en colère ?

Je me sentais flouée, comme si on m'avait vendu au prix fort une montre de contrefaçon. Je lui en voulais de nous avoir toutes bernées avec son conte de fées bancal, qu'elle avait inventé de toutes pièces, prenant pour fondement la mémoire engloutie de son mari. Pour qui se prenait-elle ? De quel droit nous jouait-elle cette comédie du couple idéal ?

Pour une raison qui m'échappe, je n'ai jamais mentionné la visite de la fille de madame Elsa à la cantine des employés. Peut-être pour les protéger de la déception, j'ai gardé cet incident pour moi. Mais il fallait que je lui en parle, à *elle*. Que je lui dise que sa bulle était crevée. Qu'elle était démasquée. Que son couple n'était pas mieux que le mien.

Après quelques jours d'hésitation, j'ai fini par monter au deuxième étage, jusqu'à la chambre 203, la chambre de monsieur Victor. La porte était restée entrouverte, je l'ai tirée doucement et ce que j'ai vu m'a clouée sur place.

Monsieur Victor et madame Elsa dansaient lentement au milieu de la pièce, accrochés l'un à l'autre comme des naufragés. Ils tournaient en silence, avec raideur, devant la fenêtre qui donnait sur les voies rapides entremêlées. Les yeux clos, madame Elsa avait posé sa tête sur l'épaule de son mari. Ses lèvres marmonnaient quelque chose, peut-être une mélodie ancienne.

Monsieur Victor tenait sa tête penchée, les yeux fermés lui aussi, et caressait distraitement les cheveux clairsemés et décolorés de madame Elsa. Ils n'avaient pas conscience de ma présence, ils étaient ailleurs, peut-être à ce bal au jardin du Luxembourg où ils avaient célébré leurs fiançailles. Devant ce couple plongé dans une valse d'autrefois, mon désir de confronter madame Elsa en lui racontant ma rencontre avec sa fille s'est tout à coup évaporé.

À quoi bon la mettre face à la réalité? Pourquoi assener la vérité aux passagers qui dansent sur le pont du *Titanic*? Ne vaut-il pas mieux les laisser profiter de cet ultime instant de joie avant le naufrage?

Et de quelle vérité au juste voulais-je lui parler? La sienne? Celle de sa fille? Ou bien la mienne, celle de l'observatrice qui cherche dans la vie des autres des signes pour décoder la sienne? Finalement, n'étions-nous pas tous des danseurs aveuglés par nos illusions, avançant pas à pas sur le pont d'un bateau qui fonce vers un iceberg?

J'ai refermé délicatement la porte de la chambre 203, en me disant que devant la réalité trop cruelle, nous avions tous le choix d'opter pour un horizon un peu plus radieux. Puis j'ai souri intérieurement, en me disant que le nom de notre résidence pour vieillards en fin de parcours n'avait pas été si mal choisi, après tout.

De retour à mon bureau, j'ai soulevé le combiné du téléphone et j'ai composé le numéro de téléphone de mon mari. J'ai pensé à la terrasse vitrée donnant sur une cascade où nous avions nos habitudes, autrefois. Au concert où nous pourrions aller, avant ou après le repas. J'ai songé à des souvenirs anciens et je me suis dit que j'avais droit à mes illusions, moi aussi. Il n'appartenait qu'à moi d'essayer d'y croire.

*Le piano*

C'était un piano noir et droit, de marque Lesage, fabriqué quelques décennies plus tôt à l'usine de Sainte-Thérèse-de-Blainville. D'après l'annonce, il était doté d'une belle sonorité, tout en souplesse et en douceur. Il faisait partie d'un lot de succession incluant aussi un lit à une place, une table de formica, six chaises, un canapé, deux armoires antiques et une collection originale de porcelaines de Limoges.

Seul le piano m'intéressait et même pour l'époque, le prix demandé était dérisoire : cent vingt-cinq dollars. J'imaginais que l'instrument avait appartenu à une vieille dame maigre et revêche, qui avait laissé à ses héritiers des biens dépourvus de toute charge émotionnelle. C'étaient des objets dont il fallait disposer, c'est tout, comme un dossier que l'on souhaite régler le plus rapidement possible. Et plus le prix était bas, plus le piano partirait vite.

J'avais seize ans et ma fortune totalisait quarante dollars – un peu moins du tiers du prix demandé. Mes économies provenaient essentiellement de l'argent que je gagnais en gardant les deux enfants de nos voisins, un mardi soir sur deux, jour consacré à leur sortie rituelle au restaurant chinois, d'où ils revenaient vaguement éméchés, projetant autour d'eux une odeur d'ail, de friture et de cigarette.

Monsieur Demers glissait deux ou trois dollars dans ma main, en frôlant au passage ma cuisse, ma hanche ou mon ventre, tout en regardant ailleurs, comme s'il n'y était pour rien. Puis il agrippait le bras de sa femme en me lançant : « On se revoit dans deux semaines, ma jolie. »

Je quittais leur bungalow de brique blanche avec un vague sentiment de honte, neutralisé par le plaisir que j'éprouvais à serrer les quelques billets. En traversant le terrain vague qui séparait nos maisons, je me voyais déjà tendre mon livret bancaire à la caissière qui inscrirait une nouvelle ligne au bas de la colonne de chiffres, à l'encre noire ou bleue, de son écriture ronde et appliquée.

Le piano, j'en rêvais depuis longtemps. Encore aujourd'hui, j'ai du mal à situer l'origine de ce désir, plutôt incongru dans notre famille qui consommait de la musique, mais n'en générait pas. Exception faite d'un cours obligatoire de flûte à bec, je n'avais touché à un instrument ni vu un musicien ailleurs que sur une scène ou à la télévision.

Jusqu'alors, guitares, violons et claviers n'avaient pénétré dans notre salon qu'à travers la table tournante ou le magnétophone, en accompagnement des chansons d'Adamo, de Moustaki ou de Félix Leclerc.

Couchée par terre sur le tapis brun, j'écoutais « Avec ma gueule de métèque, de Juif errant, de pâtre grec, et mes cheveux aux quatre vents », et je rembobinais la cassette à l'infini, m'imaginant en douce captive d'un aventurier barbu, beaucoup plus vieux et expérimenté que moi. Mais l'idée que je pourrais un jour, moi aussi, créer des sons agréables en pianotant, en soufflant ou en pinçant des cordes de guitare m'était totalement étrangère.

D'où est donc venu le déclic? Ce n'est pas très clair. Pour être tout à fait honnête, je dois admettre qu'il ne répondait pas uniquement à une passion désintéressée pour la musique. Le soir, avant de m'endormir, je m'imaginais jouer le thème de *Love Story* pendant que Vincent Lajoie, calé dans le canapé derrière moi, m'envelopperait d'un regard alangui. Car tel était le pouvoir magique de la musique qui permettait de transformer un gamin indifférent en un amoureux transi – du moins, c'est ce que je croyais à l'époque. Et je comptais bien tourner cette faculté de séduction à mon profit.

Ce n'est évidemment pas comme ça que j'ai présenté les choses à mes parents, le jour où je leur ai demandé de m'acheter un piano. Je leur ai parlé de Mozart et de Beethoven, d'*Une petite musique de nuit* et de la *Sonate au clair de lune.* Il n'y avait là aucune duplicité de ma part : j'aimais réellement la musique classique tout autant que les succès populaires de l'époque.

Mais j'aimais par-dessus tout Vincent Lajoie – un adolescent au regard sombre, dont la lèvre supérieure se relevait perpétuellement en un demi-sourire dont la signification réelle m'échappait. Mais où il m'arrivait de lire des signes d'intérêt à mon endroit. Surtout depuis la sortie scolaire où j'avais fredonné *Le Métèque* devant un feu de camp où se consumait la chair de quelques guimauves dont l'odeur de sucre brûlé se mêlait à celle de la fumée.

Une branche de sapin sec a grésillé avant de projeter une constellation de tisons rouges vers le ciel. L'explosion a été suivie d'un silence inquiet : les braises ne risquaient-elles pas de provoquer un incendie en retombant hors de l'enceinte délimitant la zone prévue pour les feux de camp ?

Heureusement les étincelles n'ont fait que crépiter brièvement avant de s'éteindre, au grand soulagement de nos accompagnateurs. C'est alors qu'une voix à la fois familière et étrangère a surgi de ma gorge, propulsée par mon propre diaphragme : « Je viendrai, ma douce captive, mon âme sœur, ma source vive, je viendrai boire tes vingt ans. »

J'étais sidérée : comme tout le monde, je fredonnais parfois sous la douche ou sur le chemin de l'école. Mais je n'avais encore jamais chanté de cette manière. C'était comme si une force extérieure avait pris le contrôle de mes cordes vocales, le temps d'un couplet.

Vincent Lajoie a relevé la mèche de cheveux noirs qui cachait ses yeux pour me lancer un regard étonné, puis il a dit : « T'as une jolie voix. »

C'était la première fois qu'il s'adressait à moi directement, et dans mon désir de prolonger la conversation, j'ai eu cette vision de mes mains courant sur un piano, alors que je chanterais l'histoire d'un jeune couple condamné par une maladie incurable. *Where Do I Begin…*

À force de supplications, mes parents ont fini par flancher : ils paieraient la moitié du coût de l'instrument, si j'en dénichais un à prix raisonnable. Ni eux ni moi n'avions la moindre idée de ce que pouvait bien être un prix raisonnable pour un piano. Deux cents dollars ? Mille ? Peu importe : ma famille n'avait pas de moyens illimités. Il fallait que je déniche une bonne occasion, autrement, pas de piano.

Après avoir passé des semaines à éplucher les petites annonces du journal local, je suis donc tombée sur ce piano droit de marque Lesage, fait de bois noir mat, n'exigeant que des ajustements mineurs. Sa propriétaire était morte dans des circonstances non précisées, vraisemblablement de vieillesse. Et ses héritiers étaient prêts à s'en départir à un prix que mes parents ont jugé acceptable.

À partir de là, je n'étais donc plus qu'à quelques séances de baby-sitting près de réaliser mon rêve. Livré par deux gaillards aux biceps tatoués, le piano a fait son entrée dans notre salon un après-midi d'hiver, alors que la neige déposait des flocons au design parfait et unique sur les fenêtres. C'était précisément le décor dont je rêvais pour mes séances de séduction musicale.

L'autre condition rattachée à cette dépense, c'étaient les cours particuliers qui allaient me permettre d'acquérir un minimum de technique et justifier l'achat que mes parents jugeaient toujours, au fond, un peu extravagant. Pour les rassurer, je devais m'appliquer sérieusement à maîtriser l'instrument. Comme ça, ils sauraient qu'ils n'avaient pas jeté leur argent par la fenêtre.

Mon professeur m'a paru plus vieux que mon père, avec ses lunettes à double foyer et les poils frisottants qui formaient des touffes rebelles autour de ses narines. Mais il était patient et conciliant, et il acceptait volontiers de mettre de côté gammes et arpèges pour m'apprendre à m'accompagner quand je chantais.

Malgré cela, je progressais lentement, et le jour où j'ai pu chanter *She Feels My Heart,* assise à mon piano, il était trop tard pour Vincent Lajoie, qui avait eu le temps de s'amouracher d'une insipide Guylaine, avant de déménager et de disparaître de mon horizon.

C'était aussi clairement trop tard pour faire de moi une vraie pianiste. Mon jeu a toujours été appliqué et laborieux, je suis restée incapable de la moindre improvisation. Mais j'ai continué à répéter assidûment et à interpréter un répertoire de plus en plus varié, pour des garçons qui s'appelaient successivement Gilles, Jean-Pierre et André – mais de plus en plus souvent, simplement pour moi-même.

Mon piano m'a suivie dans de multiples déménagements : Montréal, Québec, Ottawa, re-Montréal. Je l'ai laissé dans le minuscule trois-pièces que j'avais sous-loué pendant mon stage de deux ans à Vancouver.

C'est là que j'ai rencontré D., qui a fini par me rejoindre à Montréal. Où j'ai repris possession de mon piano.

Pour une raison que j'ignore, la musique qui s'était glissée dans ma vie alors que je rêvais de Vincent, s'est évaporée doucement avec l'arrivée de D. Il y a eu les enfants, le chien, un déferlement continu d'amis, d'appareils électroménagers, de chiens et de chats. Bref, il y a eu la vie. Une vie où le piano n'a jamais vraiment trouvé sa place. Je le regrettais mais je n'y pouvais rien. Je ne jouais plus, ou rarement et distraitement. Les enfants voulaient une salle de jeu, une table de baby-foot, ou de ping-pong. D. rêvait d'un atelier où ranger tous les outils dont il ne se servirait jamais. Et moi, je rêvais d'un peu de calme. À la longue, le piano n'était plus qu'un obstacle à la réalisation de tous ces désirs.

Je l'ai prêté à une amie, pour sa fille, qui semblait montrer des dispositions pour la musique, à la condition qu'elle me le rende le jour où je voudrais le rapatrier chez moi.

Ce jour n'est jamais arrivé. C'est plutôt mon amie qui m'a téléphoné, des années plus tard, pour me demander si je voulais reprendre l'instrument. Le cas échéant, elle paierait le transport. C'était la moindre des choses. Sinon, elle pouvait toujours le vendre pour moi.

Après des années de leçons, sa fille avait tourné le dos à la musique. À vrai dire, elle avait aussi tourné le dos à ses parents, qu'elle accusait de l'avoir étouffée avec leurs exigences, pendant toute son enfance – notamment en la harcelant pour qu'elle n'oublie pas de répéter ses gammes et ses sonates.

Devant le piano, mon amie avait désormais envie de pleurer : elle avait pensé bien faire, pourtant, mais les leçons imposées n'avaient fait que creuser un fossé entre sa fille et elle. Maintenant que son enfant avait quitté la maison, elle avait décidé de la vendre, de louer un appartement plus petit, au centre-ville. Il n'y aurait plus de place pour le piano. Le plus tôt elle s'en débarrasserait, le mieux ce serait.

Quand je suis allée rendre visite à mon amie, mon vieil instrument m'a paru piteux, enseveli au milieu d'une pièce encombrée de lampes, de chaises et de boîtes de carton à moitié remplies.

Je me suis approchée de lui. J'ai soulevé le pupitre : il y avait quelques touches fendillées, d'autres qui sonnaient lamentablement faux. Il avait besoin de réparations. D. venait alors de perdre son père, et ma belle-mère était venue vivre chez nous, dans l'ancienne salle de jeu que nous avons aménagée pour elle.

Pendant quelques semaines, j'ai flirté avec l'idée d'installer le piano dans la salle à manger. Mais il aurait fallu changer l'ameublement, acheter une table plus étroite, pour lui faire de la place.

— Tu sais, aujourd'hui, les pianos ne sont plus aussi massifs, peut-être devrais-tu vendre le tien et acheter un clavier électronique, qui prendrait deux fois moins de place ? Tu ne crois pas ?

D. m'a fait cette suggestion pleine de bon sens. Mais je n'avais pas vraiment envie d'acheter un piano neuf. C'était mon vieux Lesage ou rien.

La date du déménagement de mon amie approchait. Un soir, au téléphone, j'ai pris une grande respiration et je lui ai dit de vendre le piano. Il ne représentait plus qu'un passé depuis longtemps disparu. Le prix m'importait peu. Elle n'avait qu'à s'en occuper, après tout, il y avait plus de vingt ans qu'elle l'hébergeait.

Mon amie a publié une annonce sur Internet et

s'est mise à me téléphoner tous les soirs pour me faire un compte rendu de ses démêlés avec les clients potentiels. Des tas de gens avaient promis de passer voir le piano, mais n'avaient jamais sonné à sa porte. Plusieurs étaient découragés par les touches défectueuses. Par la hauteur de l'instrument. Par son air de mastodonte. Nous vivons à l'ère du grand dépouillement, les décors contemporains sont sobres et aérés, vitrés, transparents. Un piano représente un obstacle pour l'œil, un meuble où s'entassent des objets dont on n'a pas vraiment besoin.

En réalité, personne ne voulait de mon vieil instrument, ce compagnon de jeunesse sur lequel j'avais fait mes premières gammes et joué pour mes premiers amoureux.

J'ai recommencé à jongler avec l'idée de le reprendre chez moi, pressée par mon amie qui avait fini de remplir ses boîtes et s'apprêtait à tourner le dos à vingt ans de sa vie. Le piano devait quitter sa maison avant son déménagement.

Oui? Non? Je ne savais plus. Je n'arrivais plus à comprendre vraiment ce qui me liait à cet instrument. En fait, je me sentais à la fois contrainte de disposer de ce pauvre piano unanimement rejeté, et coupable de l'abandonner, moi aussi. En le trahissant, j'allais trahir une partie de moi.

Mon amie trouvait que je me compliquais la vie. Un piano c'est un piano, c'est tout. La veille du déménagement, elle m'a téléphoné pour m'annoncer que cette fois, elle avait trouvé un client : « Si, si, un vrai, je te le jure. Et pas n'importe qui, tiens-toi bien, écoute-moi. C'est un miracle, un vrai. »

Une maison de production cinématographique l'avait appelée en réponse à son annonce. Elle avait besoin d'un piano droit pour le décor d'un film dont le tournage avait déjà commencé. L'affaire était urgente, mais le budget était limité. Ce serait cent dollars, pas un sou de plus. Ils assumeraient toutefois les frais de transport. Et viendraient chercher l'instrument le soir même.

Ainsi, mon piano finirait sa carrière à l'écran : c'était un dénouement digne de ce fidèle compagnon parvenu à l'âge de la retraite. C'était aussi une manière de l'immortaliser. Je me suis sentie soulagée. Quelqu'un, quelque part, éprouvait encore du désir pour lui. Peut-être même qu'une fois sur le plateau de tournage, une âme charitable se déciderait à l'adopter. Je n'avais plus à me soucier de lui.

Le prix me convenait, de toute manière, je n'avais pas besoin de cet argent. On n'avait qu'à s'en servir pour aller prendre un verre, mon amie et moi, question de célébrer son déménagement et sa nouvelle vie.

Deux mois plus tard, je me suis donc retrouvée face à mon amie, à la terrasse d'un bistro de son nouveau quartier, à enchaîner des cocktails aux noms alambiqués.

Après avoir commandé un troisième verre, mon amie m'a regardée d'un air grave en me disant : « Je suis vraiment désolée pour ton piano. Vraiment, vraiment désolée… »

Je ne comprenais pas. Nous avions voulu le vendre,

il avait été vendu, la preuve, nous étions en train de dépenser nos bénéfices dans ce bistro. Mais où était donc le problème ?

— Les déménageurs étaient pressés et mal équipés. Ils trouvaient que le piano était trop lourd pour le descendre jusqu'au rez-de-chaussée. Alors tu sais ce qu'ils ont fait ? Ils l'ont démonté. Ils ont défait la table d'harmonie, arraché les cordes, sans aucun ménagement. Le piano a été éviscéré, carrément ! Ils n'en avaient pas besoin pour le son, mais pour l'image…C'était un élément de décor, c'est tout. Tu m'en veux ?

Elle a plongé les doigts dans son verre pour y pêcher une olive verte, qu'elle a mastiquée longuement, les yeux rivés sur la table. Avant d'ajouter qu'elle avait eu l'impression d'assister à l'assassinat de notre piano. « Ils l'ont tué devant mes yeux, tu comprends ? »

Sur le coup, je lui ai dit qu'elle exagérait. Ce n'était qu'un vieux piano désaccordé, il avait eu une belle vie, elle n'avait pas à se sentir coupable. Mais en réalité, je ressentais moi aussi le poids d'un regret. J'aurais dû le reprendre, ce piano, ou alors m'occuper moi-même de lui trouver une famille d'adoption. Comme je l'aurais fait pour un chien ou un chat…

Le malaise m'a poursuivie après le départ du restaurant, jusque chez moi. Pourquoi donc n'avais-je pas ramené le piano à la maison ? Pourquoi l'avoir laissé tomber ? Par quel mécanisme de paresse et de soumission avais-je permis que ma belle-mère, mon mari et mes enfants aient une fois de plus préséance sur la passion ancienne qui m'avait un jour reliée à mon clavier ?

Et si cette passion existait toujours ? Si elle avait été simplement mise en sourdine par le maelström familial ? J'avais eu une chance de faire revivre une partie de moi qui s'était assoupie depuis des décennies, et je venais de la louper. Je n'étais pas très fière de moi.

J'ai alors éprouvé un besoin impérieux, viscéral, de revoir mon piano, même éviscéré, même réduit à sa carcasse de bois noir mat, tel un corps embaumé auquel on rend hommage, une dernière fois, au salon funéraire.

Quand j'ai téléphoné à mon amie pour lui demander si elle connaissait le titre du film dans lequel mon piano jouerait son dernier rôle, ou alors le nom du réalisateur, elle m'a paru fuyante. Non, elle ne savait pas. Mais quelque chose dans sa voix m'a donné l'impression qu'elle mentait.

Finalement, elle m'a envoyé le courriel de l'homme qui avait répondu à son annonce. Il s'appelait Nelson. Il y avait un numéro de téléphone portant l'indicatif 450 au bas de son message. Je l'ai composé.

Au bout du fil, une voix féminine rauque et étouffée : « Productions du va-et-vient, bonjour. »

Pour dissiper les derniers doutes, j'ai écouté le message enregistré jusqu'au bout. « Pour les auditions, appuyez sur le 2 », a susurré la voix. J'ai appuyé sur la touche de mon téléphone, pour tomber sur un autre message, débité cette fois par une voix masculine. « Nous recherchons des poitrines de format E et plus. »

Je ne pouvais plus ignorer l'évidence : mon piano droit, en bois noir mat, fabriqué plusieurs décennies plus tôt à l'usine Lesage de Sainte-Thérèse-de-Blainville, avait terminé sa carrière sans cordes et sans touches, servant de terrain de jeu pour des prouesses érotiques, dans quelque obscure production pornographique.

La maison était silencieuse, ma belle-mère était sortie promener son chien, D. travaillait devant son ordinateur. J'ai fermé les yeux et j'ai revu le jour où mon piano Lesage en bois noir et mat avait fait son entrée dans notre salon, porté par des déménageurs aux bras tatoués.

Trente-cinq ans plus tard, il venait d'être démembré et assassiné pour faire de la figuration dans un vulgaire film porno. J'ai pensé qu'il aurait mérité une meilleure fin. Qu'il y avait, dans ce dénouement pathétique, quelque chose qui ressemblait à une profanation.

Puis, j'ai éclaté de rire. Ce n'était, après tout, qu'un piano.

*Savoir ou pas*

Le rendez-vous avait été fixé à neuf heures, jeudi matin. Thomas s'est présenté une heure plus tôt, avec une brioche et un gobelet de café achetés au casse-croûte situé en face de l'hôpital.

La brioche était imbibée de beurre, le gras dégoulinait partout, et Thomas a fini par essuyer ses mains sur son pantalon, y laissant une traînée sombre et granuleuse. Il espérait qu'elle disparaîtrait en séchant.

Le café lui brûlait la langue, il le buvait à petites gorgées, en essayant de ne pas en renverser. Ses mains ne tremblaient pas. Peut-être s'était-il trompé? Peut-être que tout allait bien, après tout?

C'était l'heure du changement de garde, des hommes et des femmes vêtus d'uniformes blancs, bleus ou verts passaient devant son banc, en face de l'hôpital, se dirigeant d'un pas décidé vers la porte tournante de l'entrée principale. Des gens normaux qui s'en allaient accomplir leurs tâches habituelles, avec enthousiasme, indifférence ou résignation.

Plus loin, appuyé contre le mur de ciment, un homme au visage gris, branché à un soluté, fumait avec application. Une femme dans la cinquantaine longeait le mur, souriant au-dessus d'un bouquet de lys et de roses blanches. Trois jeunes médecins discutaient vivement, faisant sautiller les stéthoscopes qui pendaient à leur cou. Un cycliste a voulu attacher son vélo devant l'entrée de l'urgence, mais un gardien surgi d'on ne sait où a balayé l'air de ses bras : « Interdit, allez plus loin, là-bas. » Le cycliste est reparti en maugréant.

Thomas buvait son café en s'immergeant dans toute la normalité de ce jeudi matin, pareil au jeudi matin précédent et à ceux qui suivraient. Pour tous ces inconnus qui allaient travailler, ou rentraient chez eux, ou prenaient simplement l'air à l'heure de la pause, c'était une journée comme une autre.

Pas pour lui. Tout à l'heure, il pousserait le battant de la porte tournante, appuierait sur le bouton de l'ascenseur, s'impatienterait devant la lenteur du voyant lumineux qui marque la progression des étages, sortirait au deuxième et suivrait les flèches vers la clinique externe. Il donnerait ensuite sa carte d'assurance-maladie à la réceptionniste, s'assoirait sur une chaise inconfortable et ferait semblant de lire un journal en attendant que le haut-parleur crache son nom.

Après, il ne lui resterait plus qu'à tendre son bras à l'infirmière qui y nouerait une bande de caoutchouc pour faire jaillir une veine qu'elle tapoterait avec une boule d'ouate imbibée de désinfectant, avant de la piquer. Le sang serait aspiré dans la seringue, ça ne prendrait même pas une minute.

Un mois plus tard, il aurait la réponse. Après des années de doutes, il saurait enfin. Comme dans un référendum gagné ou perdu à cent pour cent. Ce serait complètement OUI. Ou complètement NON. Au fond de lui, il était convaincu de connaître déjà la réponse.

Combien de fois avait-il rejoué cette scène dans sa tête? Tendre l'avant-bras, sourire, laisser l'aiguille faire son œuvre, la regarder se remplir de sang. Partir, le cœur plus léger ou plus lourd, libéré ou condamné.

La nuit précédant son rendez-vous, Thomas avait mal dormi et beaucoup rêvé. Des bribes de cauchemar lui revenaient maintenant à la mémoire, entre deux gorgées de café. Il se trouvait dans une villa au bord de la mer. Il y avait sa fille, Béatrice. Et sa femme, Mathilde. Elles riaient en cuisinant, il se souvenait de l'odeur d'œuf frit, du frétillement d'une tranche de bacon dans la poêle. Et de la mer étale, à perte de vue.

Il voyait la scène de l'extérieur, comme si elle avait été projetée sur un écran, comme s'il ne se trouvait pas tout à fait dans la même réalité que ces deux femmes éclatantes, gorgées de vacances et de soleil. Toute différence d'âge semblait s'être effacée entre elles, on aurait dit deux sœurs.

Il s'est ensuite vu marchant vers elles, comme s'il avait voulu les rejoindre pour le petit-déjeuner et leur demander quelque chose – un œuf miroir? Des toasts sans beurre? – mais sa bouche ne parvenait à émettre aucun son. Il était muré dans le silence.

Il a vu les deux femmes de sa vie disposer les œufs sur deux assiettes, pas trois, avec du pain grillé, des tranches de lard croustillant, des quartiers d'oranges et de tomates. Puis passer devant lui sans le voir.

Ou plutôt : passer *à travers* lui, comme s'il n'avait pas été là, comme s'il n'avait eu aucune matérialité. Et lui, il les a laissées faire sans réagir, fantôme passif, résigné à son inexistence.

« Quel rêve affreux », a pensé Thomas en recrachant sa dernière gorgée de café, déjà tiède. Il a écrasé le gobelet de carton dans sa main, en cherchant une poubelle du regard. Ce serait bientôt l'heure d'y aller, il en trouverait une dans le hall de l'hôpital.

Ce cauchemar, qu'il essayait de chasser de son esprit, avait clairement un lien avec l'examen médical qu'il repoussait depuis des années. Depuis combien de temps au juste ? Au moins quinze ans. Depuis qu'il avait su, pour son père.

La maladie de Huntington. Un mal sournois, impitoyable, l'invention sadique d'un dieu malfaisant qui se complaît à torturer ses créatures. Un gène défectueux qui reste longtemps silencieux, avant d'attaquer sa victime à trente-cinq, quarante ou cinquante ans. Pour la détruire, un neurone à la fois. Des mouvements étrangement saccadés, des mots qui s'entremêlent, une tristesse inexplicable, le regard un peu fixe, puis les angoisses, les cris, les hurlements. Un être humain qui se convulse avant de disparaître. Un feu d'artifice qui s'éteint, dans une explosion d'étincelles erratiques et désordonnées.

Contrairement à d'autres maladies héréditaires, celle-ci s'exprime chez tous les porteurs de ce gène, qui a un caractère dominant, avait expliqué le médecin le jour où il avait résumé les symptômes disparates et déconcertants qui affligeaient le père de Thomas en un seul mot : Huntington.

Du point de vue de la médecine, c'était plus simple : ça signifiait une chaîne de transmission facile à suivre. Soit on hérite du gène et on est condamné. Soit on n'en hérite pas et on est sauvé – et tous nos descendants aussi, par la même occasion. Pas de cachettes, pas de gène récessif qui saute par-dessus les générations pour réapparaître subrepticement chez nos arrière-petits-enfants. La lignée était claire et le destin, doux ou impitoyable, mais dans les deux cas de figure, inéluctable.

Dans cette loterie génétique, le père de Thomas avait eu le malheur de tirer le mauvais numéro. Dès lors, chacun de ses enfants avait une possibilité sur deux d'avoir hérité du gène funeste. Et la même chance d'y échapper.

Ils étaient là, tous les quatre – Thomas, ses parents et sa sœur Christine – à essayer d'absorber ce qui, pour le neurologue, n'était que des estimations mathématiques. Pour eux, c'était une question de vie ou de mort.

— La science a progressé. Autrefois, il n'y avait rien à faire, sauf attendre, a expliqué le médecin. Mais aujourd'hui, il y a les tests génétiques, il suffit d'un seul échantillon de sang pour savoir si vous êtes porteur ou non. Donc, si vous serez atteint, ou pas.

Christine n'a pas hésité une seconde. Elle voulait savoir. Le plus rapidement possible. Elle a noté le numéro de téléphone du généticien sur son téléphone cellulaire et l'a composé en sortant de l'hôpital. Elle est tombée sur un message enregistré lui suggérant de patienter : le spécialiste ne prendrait pas de nouvelles demandes de rendez-vous avant six mois.

Thomas et Christine ont reconduit leurs parents jusqu'à leur camionnette, au bout du parking, et ils les ont laissés rentrer chez eux, avec tous ces nouveaux mots à assimiler, toutes ces couches de vie en lambeaux, désormais impossibles à rafistoler. Leur père déjà trop maigre, bougeant avec raideur. Leur mère toute droite, minuscule, accrochée à son bras. Comment feraient-ils, désormais ?

Après ils ont marché, longtemps, incapables de s'arrêter, même pas pour un sandwich ou un café, comme s'ils devaient rester perpétuellement en mouvement pour fuir la menace qui venait de surgir dans leur vie.

Maintenant, ils avaient un mot pour décrire le mal qui dévorait leur père. Et qui les dévorerait peut-être, à leur tour. Tel un pitbull accroché à leurs mollets, ce mot ne les lâcherait plus. Ils ne pouvaient pas lui échapper.

Mais pourquoi donc Christine était-elle si pressée de savoir ce qui l'attendait ? s'étonnait Thomas, tandis que sa sœur pestait contre le système médical qui lui infligeait une trop longue attente. Ne valait-il pas mieux vivre comme avant, profiter de la vie et de leur insouciance ? Personne ne connaît son destin, pourquoi faudrait-il que nous le sachions, nous ?

Christine ne comprenait pas ses questions. Elle avait besoin de savoir, un point, c'est tout. « Dans la vie, il *faut* savoir. L'homme qui partage notre lit a-t-il encore vraiment envie d'être là ? Nos ados, quelles substances au juste ingurgitent-ils à notre insu? Pourquoi sont-ils tristes, quand ils sont tristes? Et ces cellules nerveuses que nous tenons pour acquises et qui commandent le moindre de nos gestes, ne seraient-elles pas sur le point de se détraquer? Il faut connaître la réalité pour y faire face, tu ne comprends donc pas? »

Mais les choses n'étaient pas aussi simples pour Thomas. Ce qu'il voulait surtout, c'est que sa vie continue comme avant, sans cette ombre noire qui obscurcissait son horizon.

— Quand notre enfant dérape, on peut tenter de l'aider, faire quelque chose. Le médecin nous a bien dit que cette maladie ne se soigne pas. On atténue les symptômes à mesure qu'ils se présentent. Alors, qu'ils se présentent, c'est tout. Une information qui ne mène à aucune décision particulière, c'est une information inutile, point à la ligne.

— Oui mais au moins, tu pourrais te préparer, non?

— Me préparer? Mais à quoi? À devenir un pantin désarticulé, un monstre vociférant? Voyons donc. On sait bien, toi, la journaliste, tu veux toujours tout savoir. Moi, je préfère vivre dans l'ignorance. Je peux très bien mourir d'un accident d'auto ou de parachute, ou encore être terrassé par une crise cardiaque demain matin, avec tous mes neurones en parfait état. À supposer même que je l'aie, ce fichu gène. Ça me servirait à quoi de me torturer, alors?

Tant qu'il faisait face à la détermination de sa sœur, Thomas affirmait sa position avec aplomb et assurance.

Mais quand il se retrouvait seul, ses certitudes s'effritaient, comme les cellules déglinguées dans le cerveau de son père. Et si le hasard l'avait épargné ? Ne valait-il pas mieux le savoir ? Maintenant ? Tout de suite ?

Un jour, Christine lui a téléphoné avec des bulles de champagne dans la voix. Elle avait eu le résultat de son test. « Négatif. Tu sais, je revis. T'as pas idée comme je me sens légère, libérée. Tu devrais le passer, toi aussi… »

Thomas était heureux pour elle. Et de plus en plus angoissé pour lui-même. Il avait beau savoir que la probabilité – cinquante pour cent – restait la même, peu importe les résultats des analyses sanguines de sa sœur. La formule statistique ne changeait pas. En principe. Mais en même temps, ils étaient deux, Christine et lui. Elle était épargnée. Il était le deuxième sur la liste.

Et plus il se sentait vulnérable, moins il voulait savoir. Contrairement à sa sœur, Thomas préférait remettre les mauvaises nouvelles à plus tard. Il pouvait passer des semaines sans vérifier l'état de son compte en banque. Ne pas monter sur le pèse-personne quand il se sentait ballonné, alourdi. Tant qu'il n'avait pas la confirmation des dégâts, il pouvait faire comme si. Vivre comme avant. Prétendre qu'il pouvait prendre des billets pour Paris sur un coup de tête. Acheter ce pantalon ajusté de taille trente-deux.

Mais son refus de savoir ne le mettait pas à l'abri de la réalité. Pas cette fois. Le jour, il pouvait encore donner le change. Au travail, il était toujours le même : brillant, drôle, vif, parfois abrasif. Mais la nuit, il se réveillait en sueur, une percussion déchaînée à la place du cœur.

Il s'assoyait dans le lit, pétrifié par une peur animale. « Mathilde, tu es là ? Tu dors ? »

Un poème de Baudelaire tournait dans sa tête, comme une litanie. « Et l'obscur ennemi qui nous ronge le cœur, du sang que nous perdons croît et se fortifie. » Eh bien, c'est exactement comme ça qu'il se sentait. Rongé de l'intérieur. Il n'avait que quarante-cinq ans, et sa vie était déjà derrière lui.

Pendant longtemps, Thomas avait esquivé les questions de Mathilde. Quand elle lui demandait de quoi au juste souffrait son père, si le diagnostic était enfin connu, il éludait ou répondait par des formules imprécises. Elle avait attendu qu'il soit prêt à lui parler. Peut-être n'était-elle pas si pressée de connaître la vérité, elle non plus ?

Il a fini par tout lui dire, Huntington, hérédité, neurones bousillés, tout ça. Il l'a dit en marmonnant, honteux, comme s'il avait une part de responsabilité dans ce diagnostic. Et à partir de là, il n'a plus arrêté de parler. Thomas inondait Mathilde de questions. « Tu ne trouves pas que j'ai des mouvements étranges ? Que je titube ? Que j'oublie tout ? L'autre jour, tu m'as demandé de faire des courses et j'ai oublié le lait. *Le lait !* Tu te rends compte ? Je perds la mémoire. Et mon humeur ? Il me semble que je suis plus irritable qu'autrefois. Non ? C'est comme ça que ça avait commencé, chez papa. Tu te souviens ? En plus, il me semble que je trébuche sur les mots, tu ne crois pas ? »

Thomas cherchait les signes annonciateurs de la maladie, de façon de plus en plus obsessive, et maintenant que Mathilde était au courant, il la prenait à témoin. Il s'était étouffé en mangeant. Il n'arrivait pas à se rappeler du mot *tire-bouchon* ou *plate-bande* ou *économe*.

Il avait voulu fuir la menace, mais celle-ci prenait maintenant toute la place. « Tu as toujours été distrait, moi aussi je cherche mes mots, mes clés et mon téléphone, voyons. » Mathilde avait beau tenter de le rassurer, ce qui était un signe d'étourderie chez les autres ne pouvait être, chez lui, que le symptôme du mal qui allait l'avaler tout rond, tôt ou tard. Comme il avait déjà aspiré son père.

— On ne peut plus vivre comme ça, vas-y, fais-le, va passer le test, au moins, on saura, insistait Mathilde.

Mais il résistait encore. Il s'accrochait à ses rares moments d'insouciance, à ce week-end à New York au cours duquel il avait réussi à tout oublier, alors qu'ils roulaient à vélo, sur le pont de Brooklyn. Ou à cette randonnée dans les montagnes Blanches, qui l'avait ramené à l'essentiel, qui consiste à poser un pas après l'autre, encore et encore, jusqu'au sommet. Il se redécouvrait alors lui-même, insouciant, léger, couvert de sueur, fourbu, heureux. Un bonheur exacerbé par l'idée que c'était peut-être la dernière fois qu'il humait l'odeur suave des asclépiades, celle de la résine des pins, ou simplement le parfum rassurant de la terre mouillée.

De retour à la maison, il avait recommencé à se scruter. Une raideur au dos, une crampe au pied, un accès de mauvaise humeur pouvaient n'être que ça : une raideur, une crampe, un coup de déprime. Ou alors, ça pouvait être le début de la fin.

L'état de son père s'est progressivement détérioré, il a fini par déménager dans un institut spécialisé. Ils l'ont accompagné tous les trois : Thomas, Christine et leur mère. Progressivement, sans s'en rendre compte, Thomas s'est mis à éviter sa sœur, dont l'insouciance le ramenait chaque fois à son dilemme : savoir ou pas ?

Exaspérée, Mathilde a fini par lui prendre un rendez-vous, pour la prise de sang. Il n'y est pas allé. Elle était furieuse. Il s'est mis à l'éviter, elle aussi.

Pendant une fête de Noël, au bureau, il a bu plus que d'habitude. Après le cinquième shooter, tous ses soucis ne faisaient plus le poids devant le décolleté de Marie-Josée, la nouvelle comptable. C'était peut-être sa dernière aventure. Sa toute dernière première fois. Plus jamais il ne découvrirait un corps inconnu. Plus jamais sa main ne s'aventurerait dans des territoires inexplorés.

Quand il s'est réveillé, dans une chambre de motel de banlieue, il faisait déjà jour. Marie-Josée s'était éclipsée. La note sur la table de chevet le remerciait pour la soirée, mais l'avertissait qu'il n'y en aurait pas d'autres. Thomas l'a lue avec soulagement, avant de la jeter au panier. Il a pris une douche et s'est regardé dans le miroir : il avait vraiment une sale tête. Résultat d'une puissante gueule de bois ? Ou premiers signes de la coupe à blanc qui allait bientôt dévaster ses neurones ?

— T'étais où cette nuit ? lui a demandé Mathilde quand il est rentré à la maison, ce matin-là. T'aurais pas pu m'appeler ?

Il a marmonné des excuses, elle ne l'a pas cru. Elle

comprenait ce qu'il vivait, ses peurs, ses angoisses, mais là, il avait dépassé les limites. Ça ne pouvait plus continuer. Avec tous ces nuages qui assombrissaient son avenir, il était en train de saccager son présent. *Leur* présent. Il fallait qu'il se décide à passer ce fichu test. Elle était brûlée, fatiguée de faire semblant. Elle avait besoin d'air. Alors, elle avait loué un petit studio pour deux mois, peut-être davantage, le temps que Thomas mettrait à prendre sa décision. Il n'y avait pas à discuter, ses valises étaient prêtes.

Il n'a pas eu le temps de placer un mot, elle avait déjà disparu au bout de l'allée bordée de pivoines blanches.

Le départ de Mathilde a creusé un vide, mais il a aussi ouvert des possibilités. Il ne l'avait pas suppliée de rester. Il a commencé à sortir après le travail, à accepter des invitations à des cinq à sept, à des dîners, comme il ne l'avait pas fait depuis des décennies. Et il s'est mis à collectionner les dernières premières fois. Avec l'aide-comptable. Avec la sœur de son partenaire de tennis. Avec une lointaine cousine dont il avait oublié l'existence et qui lui a fait signe sur Facebook. Ces aventures ne duraient jamais longtemps, elles avaient la saveur des amours de vacances, avec le goût du sel sur la peau, la chaleur du soleil et la date de péremption inscrite au calendrier dès le premier baiser.

Thomas téléphonait tous les jours à Mathilde, allait luncher une fois par semaine avec Béatrice et rendait visite deux fois par mois à son père, désormais perdu dans son monde parallèle. Pour le reste, il faisait ce qu'il voulait, c'est-à-dire n'importe quoi. La perspective de sa maladie, qu'il croyait maintenant inéluctable, justifiait tous ses excès. Mais cette course contre la montre, cette explosion d'hédonisme le laissait de plus en plus vide et sans joie.

Un jour, il a reçu un coup de fil de sa fille. Béatrice voulait les voir tous les deux, Mathilde et lui. Elle avait quelque chose à leur annoncer. Ils se sont donc retrouvés à la maison, et en voyant sa femme poser la cafetière sur le feu, saisir les tasses, le pot de lait, le sucrier, là où ils avaient toujours été, bouger avec grâce dans son environnement familier, Thomas a eu un pincement de nostalgie. C'était sa place, elle y était chez elle, elle devait revenir, ce tourbillon avait assez duré.

— Je vais me marier avec Tristan, au printemps, a dit Béatrice. Nous voulons des enfants. À vrai dire, je suis déjà enceinte. De deux mois.

Sa joie était entière. Thomas a regardé Mathilde, qui a baissé les paupières, avec un léger mouvement de la tête. Elle n'avait rien dit à Béatrice. Thomas non plus. D'un accord tacite, ils avaient préservé leur fille, qui ignorait tout de la maladie de son grand-père. À ses yeux, il était sénile, c'est tout. La séparation de ses parents, c'était juste un temps de repos, une pause conjugale, une réponse au syndrome du nid vide.

Ils ont trinqué, Béatrice avec un verre d'eau gazeuse, eux, avec du mousseux. Ils l'ont félicitée, embrassée, quelque part dans le corps de leur fille, des cellules qui se multipliaient à une vitesse folle deviendraient un jour leur premier petit-enfant.

Mais cet enfant hériterait-il du gène maudit qui avait peut-être déjà commencé à gruger son grand-père ? Une fois seul, Thomas a su qu'il n'avait plus le choix. Il a composé le numéro de la clinique et a demandé un rendez-vous. Ne pas savoir, c'était très bien, tant qu'il ne s'agissait que de lui. Ce n'était plus le cas. Il y avait cette petite chose qui bougerait bientôt dans le ventre de Béatrice. Il vivait sous la menace depuis quinze ans, c'était sa décision et elle ne regardait que lui. Désormais, il avait un devoir de vérité. C'était une évidence.

*  *  *

Le rendez-vous avait été pris pour 14 heures, le mercredi. Thomas était arrivé une heure à l'avance, il s'était assis en face de l'hôpital, sur un banc – le même que celui où il avait attendu sa prise de sang, un mois plus tôt.

Cette fois, Mathilde était à ses côtés. Elle buvait un jus d'orange, lui, un thé glacé. Des inconnus en uniformes blancs, bleus ou verts passaient devant eux sans les voir.

Ils ne se parlaient pas. Ils attendaient. Comme deux voyageurs qui attendent un avion, fourbus, vannés, à la dernière escale d'un long périple. À un moment, la jambe de Thomas a tressailli et Mathilde a posé sa main sur sa cuisse. Elle l'a regardé, et ses yeux disaient : « Ce n'est qu'un tressaillement, tu es nerveux, c'est normal. »

Puis elle a regardé l'heure sur son téléphone

portable : c'était le moment. Ils ont franchi la porte de l'hôpital en silence.

— Bonjour, asseyez-vous, je vous en prie.

Le visage du médecin n'exprimait aucune émotion. Des lunettes à monture métallique, des cheveux blancs, légèrement ondulés, des lèvres minces et courtes, qui allaient bientôt prononcer la sentence. Combien d'années de pratique lui avait-il fallu pour apprendre à afficher un air aussi imperturbable ?

Il leur a offert un verre d'eau, a ouvert le dossier posé sur son bureau, l'a lu avec concentration, avant de les regarder l'un après l'autre, attentivement. Puis, le médecin s'est raclé la gorge et il a dit : « Tout est beau. Le test est négatif. »

La guerre venait de finir.

Ils ont célébré l'armistice, avec Mathilde, Christine et Béatrice, quelques jours plus tard.

— Tu vois, si tu avais fait comme ta sœur, tu te serais épargné des années d'angoisse, a dit Mathilde. Tu aurais dû faire le test à l'époque.

— Tu vois, tu vois, je te l'avais dit, a renchéri Christine.

Il les a regardées, en se disant qu'elles avaient raison, d'une certaine manière. Mais d'une certaine manière seulement.

— Vous savez, pendant toutes ces années, j'ai vécu *quelque chose*. Vous comprenez ?

Elles ne comprenaient pas. Le verdict médical l'avait libéré d'un poids insupportable, mais il l'avait aussi privé d'une menace, d'une présence ou d'une saveur particulière. De quelque chose d'indéfinissable qui lui avait tenu compagnie pendant quinze ans.

Et pendant un bref instant, Thomas s'est senti en deuil.

*Un matin presque comme les autres*

C'était un matin comme les autres, et peut-être même un peu mieux que les autres. Le bébé avait dormi six heures sans interruption, les voisins n'avaient pas hurlé au milieu de la nuit, il n'y avait eu ni « *fuck you bitch* » ni objets fracassés contre les murs.

À l'aube, une brise fraîche a balayé la chambre, faisant chuinter le store vénitien, avec ses lattes tordues par les allers et retours du chat. Le bruit a réveillé Phil qui s'est blotti dans le dos de Flo, soufflant son haleine chaude dans son cou. Pendant qu'il la caressait, il s'est rendu compte que son mal de dos s'était volatilisé au cours de la nuit. Avec un peu de chance, il allait pouvoir bientôt recommencer à travailler.

Ils ont fait l'amour sans s'attarder, puis ils sont restés immobiles, savourant la douceur de l'air frais sur leur peau. La douleur ne se manifestait toujours pas. Pour la première fois depuis des semaines, Phil a donc pu s'occuper des enfants, ce matin-là. Il les a habillés, nourris et préparés pour la garderie. Puis ils ont dévalé l'escalier dans une explosion de babillements, de cris, de tapements de pied et d'injonctions paternelles, et la maison s'est remplie du vide qu'ils ont laissé derrière eux.

Flo disposait maintenant d'une plage de solitude et

de silence. Un luxe inespéré, trente minutes à elle et à elle seule. Elle s'est assise sur le balcon, en pyjama, avec une tasse de café et un muffin aux dattes, et elle a observé la rue émerger de la torpeur de la nuit.

En face, le Chinois faisait grincer les stores métalliques de son dépanneur. L'homme dont le chien avait été écrasé par un camion poubelle, deux semaines plus tôt, marchait à l'heure précise de ses anciennes promenades matinales, le dos courbé, comme s'il tenait un fantôme au bout d'une laisse imaginaire. La camionnette du transport adapté est passée prendre le voisin qui ne se déplaçait plus qu'en fauteuil roulant. L'étudiante aux cheveux bleus et aux bras couverts de tatouages courait vers le casse-croûte où elle servait les petits-déjeuners, pendant l'été…

Les rayons pâles du soleil s'emmêlaient déjà aux fils électriques quand Flo a posé sa tasse de café dans l'évier, avant de jeter un coup d'œil à l'horloge de la cuisinière. Il était trop tard pour une douche. Elle s'est débarbouillée rapidement à l'eau fraîche, a enfilé un jean et un t-shirt blanc, a remonté ses cheveux et les a fixés avec une pince au sommet de sa tête, avant de jeter son uniforme de travail dans son sac à dos. Elle n'avait pas, non plus, le temps de préparer son lunch. Elle a attrapé deux barres de céréales et une banane, ça suffirait pour la journée.

Il y avait deux ménages à faire, ce jour-là, lui a indiqué Ghislaine, la patronne de l'agence, pendant qu'elle se changeait dans le vestiaire. Elle connaissait déjà l'appartement où elle devait se rendre en matinée : c'était une habitation moderne de deux étages, avec des planchers de béton chauffants et une cuisine lumineuse avec des placards laqués et des tiroirs débrayables.

L'appartement avait été entièrement rénové, il était donc facile à entretenir, sauf pour les chambres des enfants – deux filles et un garçon, d'après les photos posées sur les étagères d'un salon aussi blanc que la cuisine, à l'exception d'un profond canapé de cuir rouge. Flo anticipait avec dégoût le moment où elle passerait le balai sous les lits des adolescents, où elle trouverait immanquablement des serviettes hygiéniques usagées, des culottes tachées de sang ou des kleenex gorgés de déjections diverses.

— Fais vite, comme ça t'auras le temps d'arroser les plantes et de nourrir le chat chez les Sinclair, cet après-midi, a encore lancé la patronne, avant de laisser Flo partir avec son sarrau et ses torchons.

L'appartement surplombait le canal, il avait été construit dans une des anciennes usines converties en immeubles à condos, au fil des ans, transformant peu à peu ce quartier ouvrier en un repaire de professionnels huppés, qui avaient les moyens de faire appel à une agence spécialisée pour leur ménage.

Après avoir frotté le four, fait étinceler la salle de bains et décollé des aliments non identifiables dans le congélateur du frigo, Flo s'est rappelé qu'elle n'avait toujours pas récupéré ses bottillons de suède chez le cordonnier, en face du bureau de l'agence.

Elle a vérifié l'heure : elle avait travaillé avec efficacité, elle avait amplement le temps de passer à la cordonnerie. C'était d'ailleurs le bon moment pour aller chercher ses bottes, car les nuits devenaient de plus en plus fraîches, annonçant l'arrivée prochaine de l'automne.

Le cordonnier était absent et c'est une femme qui est venue accueillir Flo en entendant sonner la clochette actionnée par les mouvements de la porte.

« Dommage », a pensé Flo. Elle aimait bien l'homme au regard doux qui réparait ses chaussures, depuis au moins cinq ans. Depuis qu'elle avait été embauchée par cette agence qui lui versait un salaire minimaliste, mais qui avait l'avantage de lui fournir un boulot stable avec des horaires prévisibles. Entre vingt-cinq et trente heures par semaine, ce n'était pas beaucoup, mais c'était assez pour survivre. Surtout quand on y ajoutait les revenus de Phil, lorsqu'il était assez en forme pour travailler.

Flo ne connaissait pas le nom du cordonnier et lui ignorait le sien, mais il avait l'habitude de la saluer amicalement, l'accueillant avec un « Bonjour mademoiselle », suivi d'un commentaire sur le temps qu'il faisait ou le temps qu'il ferait le lendemain. Elle lui demandait comment il allait et il allait toujours bien. En réalité, elle ne connaissait pas grand-chose sur lui. Sauf la douceur rassurante de son sourire. Et ce sentiment qu'il lui procurait, chaque fois, de n'être pas n'importe quelle cliente à ses yeux. De représenter quelque chose de spécial et d'avoir, pour cette raison, droit à une attention particulière de sa part. Peut-être même à des rabais sur le prix des réparations.

Flo avait égaré le coupon que le cordonnier lui avait

remis quand elle était venue porter ses bottillons à ressemeler. Rien à faire : elle perdait toujours ces coupons, mais il ne s'en formalisait pas, c'était même devenu une sorte de blague tacite entre eux. Il lui ordonnait : « Votre coupon », mais ses yeux exprimaient la certitude amusée qu'elle fouillerait en panique dans son sac et dans ses poches, en vain, comme les autres fois.

« La prochaine fois, rangez-le bien, ça me simplifierait la vie », faisait-il semblant de ronchonner, avant d'aller fouiller dans le fatras de son échoppe, où il retrouvait ses chaussures, bottes ou sandales d'un œil sûr, sans se tromper. Comme s'il devinait qu'elle ne pouvait porter que ces chaussures, bottes ou sandales là.

Mais le cordonnier n'était pas derrière sa caisse, ce jour-là, et la femme qui le remplaçait a soupiré d'un air excédé avant de plonger ses mains dans une montagne de chaussures. « Celles-ci ? Celles-là ? La paire au fond, là-bas ? »

Elle était beaucoup plus jeune que le cordonnier, pourtant, elle semblait accablée, abattue, comme si elle avait été frappée d'une grande lassitude. En l'observant plus attentivement, Flo a été intriguée par son regard aux paupières légèrement tombantes, par ses lèvres charnues et son sourire timide, à la fois tendre et triste. La ressemblance avec le cordonnier était saisissante. « Sa fille, probablement », a pensé Flo.

Quand la femme est revenue vers la caisse, avec sa paire de bottes grises dans les mains, Flo a voulu prendre des nouvelles du cordonnier, mais ne savait pas trop comment formuler sa question. Celle-ci a fini par jaillir sans préparation, touffue, maladroite.

— Il est où, le cordonnier, d'habitude c'est lui, qu'est-ce qui lui est arrivé, êtes-vous sa fille, est-ce qu'il va bien ?

La femme s'est appuyée contre le tabouret, derrière le comptoir, elle a passé les mains dans ses cheveux, puis elle a tapoté quelque chose sur le clavier de la caisse enregistreuse.

— Oui, c'est mon père. Il est retourné au pays. Pour quelque temps.

Mais quel pays au juste venait d'avaler l'homme qui, depuis cinq ans, n'avait jamais négligé de lui sourire ? Flo a avancé quelques hypothèses, naviguant à tâtons sur une carte mentale dans des régions dont elle avait entendu parler aux nouvelles, ces derniers temps. Syrie ? Liban ? Palestine ?

— Non, Iran, a répondu la femme. En fait, nous sommes des Kurdes iraniens. Vous connaissez le Kurdistan ?

La femme la fixait d'un air perplexe, comme si elle cherchait à comprendre le lien qui avait uni son père, un homme digne, affable et délicat, à cette jeune femme vêtue comme une femme de ménage. Flo avait l'habitude de ce regard condescendant qui la rangeait automatiquement dans la catégorie des paumées, forcément incultes, réduites à faire le ménage pour survivre, à défaut d'autres choix.

Pourtant, malgré ses études universitaires, malgré son baccalauréat et ses deux années de scolarité de maîtrise, Flo avait bel et bien choisi ce travail concret et précis, qui lui procurait une satisfaction évidente et immédiate, bien plus que les quelques jobs de bureau qu'elle avait réussi à décrocher dans le passé.

La toilette était sale avant son arrivée et propre après. Le plancher qui collait sous ses pieds devenait lisse et brillant quand elle avait fini de le frotter. Les draps sentaient bon, les serviettes étaient bien pliées dans l'armoire.

Pendant qu'elle astiquait, son esprit pouvait voguer ailleurs. Elle rentrait ensuite chez elle avec le sentiment du devoir accompli, l'impression d'avoir été utile, d'avoir contribué à améliorer *quelque chose*. Même si c'était à recommencer deux semaines plus tard. Elle doutait que tous ses amis de l'université puissent en dire autant.

Ce travail peu valorisé ne l'empêchait ni de s'intéresser à l'actualité ni de connaître l'histoire et la géographie. Elle n'ignorait pas que des découpages territoriaux artificiels, conclus à l'issue de la Première Guerre mondiale, avaient laissé les Kurdes éparpillés entre quatre pays. Dont l'Iran. Elle savait également que leur désir d'autonomie avait survécu à la dictature du shah, puis à celle des ayatollahs.

— Pourquoi votre père est-il retourné là-bas?

— Ce sera douze dollars, a répondu la fille du cordonnier en lui tendant un sac de plastique contenant ses bottes de suède.

Puis elle a relevé les yeux, a esquissé le sourire mélancolique de son père avant de marmonner :

— En fait, la vraie question, c'est pourquoi nous sommes venus ici.

— Justement, pourquoi ?

Flo a pris appui sur le comptoir, en se disant qu'elle prendrait le temps d'entendre la réponse. Elle pouvait bien arriver cinq minutes en retard au travail. Après tout, les Sinclair étaient partis en vacances, leurs azalées, leurs lauriers et leurs deux chats persans n'étaient pas à une demi-heure près. Elle n'aurait qu'à rester un peu plus tard pour terminer son boulot, c'est tout. Et comme Phil pouvait aller chercher les enfants à la garderie, elle n'avait aucune raison de se presser.

La famille était arrivée à Montréal vingt-cinq ans plus tôt, c'était la fin des années 1980. À l'époque, la fille du cordonnier était étudiante. Sa famille venait de Mahabad, la ville qui avait vu naître et mourir une éphémère république kurde sur le territoire iranien. « C'était après la Deuxième Guerre mondiale et ça n'a même pas duré un an, que voulez-vous… »

Peu après sa naissance, ses parents ont déménagé à Téhéran. Son père continuait à frayer discrètement avec les autonomistes kurdes.

La femme a dit qu'elle s'appelait Zara.

— Oui, exactement, comme cette photographe qui est morte en prison, à Téhéran. Vous vous souvenez de son nom ?

Zara interrompait son récit chaque fois qu'elle devait servir un nouveau client. Un gamin d'une quinzaine d'années qui voulait faire recoudre la semelle de ses espadrilles. Une femme en panique parce qu'elle n'arrivait pas à ouvrir la fermeture éclair de son sac à main, qui gardait prisonniers son portefeuille et ses clés.

Bruissements de billets de banque, cliquetis de la caisse, porte qui se referme en faisant sonner la cloche. Puis, la fille du cordonnier reprenait son histoire.

Sa famille avait survécu à la dictature du shah, à la guerre contre l'Irak, aux premières années des ayatollahs. Zara avait un frère, qui avait été dépêché sur le front irakien, d'où il était rentré miraculeusement intact, pour se joindre aux étudiants kurdes rebelles, à l'insu de ses parents.

Le 13 juillet 1989, Zara s'en souvenait comme si c'était hier : c'est le jour où un leader kurde, Abdul Rahman Ghassemlou, a été assassiné, sans doute par le régime de Téhéran.

Quelques jours plus tard, le frère de Zara a eu le sentiment d'avoir été suivi en sortant de l'université. Deux hommes en civil, toujours les mêmes, avaient surgi à la sortie du campus, puis au café où il avait rejoint des amis, puis à l'arrêt de bus où il attendait pour rentrer à la maison.

D'un geste instinctif, il avait sauté dans le véhicule, bousculant les passagers, pour ressortir par la porte arrière juste avant que le bus ne s'élance dans les rues de la ville. Ses deux poursuivants avaient été emportés loin de lui. Bien sûr, il s'était peut-être imaginé des choses, mais il ne fallait pas prendre de risques. Son nom figurait peut-être déjà sur une liste noire.

— Nos parents ont envoyé mon frère chez des amis,

à la montagne, et nous avons fait nos valises. Nous avions peur. Il fallait sauver la famille, protéger les enfants...

Zara s'est tue et deux rides profondes sont apparues entre les sourcils qui décrivaient des arcs parfaits au-dessus de ses yeux. Pneus qui crissent, enfant qui pleure, sirène d'ambulance : « Quelqu'un, quelque part, vient peut-être de croiser son destin », a pensé Flo. Quand la femme a repris son récit, sa voix était plus voilée, c'était presque un chuchotement.

« Nous avions presque le même âge, en réalité, mon frère avait un an de moins que moi », et Flo s'est rendu compte qu'elle avait conjugué le verbe *avoir* à l'imparfait.

Ce frère, donc, qui avait combattu l'armée irakienne et fui la répression des ayatollahs, eh bien, il est mort d'une balle perdue un an après avoir atterri à Montréal. Aussi bête que ça. Ça s'est passé en plein jour, dans une rue tranquille d'un quartier résidentiel où la famille s'était établie quelques semaines après son arrivée au Canada.

— Vous imaginez ? Survivre à la guerre, à la dictature, et mourir d'une balle perdue, à Laval-des-Rapides ? Attendez, je vais vous montrer...

Zara a pointé un cadre sur le mur : un couple, un garçon, une fille, un jardin, une profusion de fleurs, de verdure et de sourires. Elle a dit : « C'est lui », en désignant un adolescent chétif, avec des bras trop longs qui semblaient appartenir à quelqu'un d'autre, comme s'ils avaient été greffés à son corps. Ce gamin efflanqué, c'était lui, ce frère qui allait tomber quelques années plus tard dans un échange de tirs, victime innocente de quelque guerre entre des gangs montréalais. C'est en tout cas ce qu'avait conclu la police. Une mort absurde, survenue une semaine avant son vingt-cinquième anniversaire.

— Vous imaginez? Tout ça pour ça?

— Mais comment ont-ils fait, après? a demandé Flo. Comment ont-ils survécu à cette tragédie?

— Mal, a répondu Zara. Après, plus rien n'a été pareil. En Iran, mon père était pharmacien. À Montréal, il conduisait un taxi. Par la suite, il a suivi une formation de cordonnier et il a ouvert ce commerce. Ce n'était pas son premier choix, vous imaginez bien, mais c'était normal, nous étions des immigrants, nous devions recommencer à zéro. Après la mort de mon frère, mon père a tout remis en question. Il s'est torturé, s'est reproché d'avoir pris la mauvaise décision. Nous aurions pu émigrer ailleurs, en France, aux États-Unis. Ou peut-être même rester là-bas, chez nous. Pourquoi donc avait-il choisi Montréal?

— Et votre mère?

— Elle était furieuse, en colère. Elle ne lui a jamais pardonné. Elle aurait voulu vivre à Los Angeles, où habitent ses frères, ses cousins, ses neveux et nièces. Le Canada ne lui disait absolument rien. Mais mon père a refusé, il disait toujours qu'il n'aimait pas les États-Unis. Le Canada, c'était autre chose. Un pays juste. Froid, peut-être, mais démocratique, égalitaire. Un pays où tout serait possible. Pour lui, c'était le Canada ou rien.

Vous voyez, notre cœur ne nous mène pas toujours là où il faut.

L'atmosphère a fini par devenir intenable à la maison. Mais pour le cordonnier et sa femme, il n'était pas question de se séparer. De toute manière, ils n'en ont pas eu le temps.

— Ma mère est partie deux ans après mon frère. Cancer.

Flo a regardé la photo sur le mur : l'image d'une famille irradiant le bonheur. Qu'en restait-il aujourd'hui ? Deux morts, et un père et sa fille séparés par une dizaine de milliers de kilomètres.

En fait, a expliqué Zara alors que Flo se dirigeait à reculons vers la porte, le cordonnier n'avait aucune intention de rentrer au Canada. Elle-même ne voulait pas reprendre son commerce. Elle était bien capable de procéder à quelques réparations simples, pour les autres, elle faisait appel à un employé, mais elle ne se voyait pas passer ses journées dans cette pièce sombre, imprégnée d'effluves de cuir et de colle. Non, ça, il n'en était pas question.

Elle voulait bien prendre le relais de son père, pendant quelques mois. Mais après, la cordonnerie serait à vendre. Elle avait l'intention de rejoindre sa famille aux États-Unis. Plus rien ne la retenait ici, sauf des souvenirs douloureux et le sentiment d'une terrible erreur d'itinéraire.

— Quand la cordonnerie passera dans de nouvelles mains, il ne restera plus grand-chose de notre séjour à Montréal, tout sera effacé.

Zara a prononcé ces mots sans émotion particulière, ni tristesse, ni nostalgie, ce n'était qu'un constat. Vingt-cinq années évanouies sans laisser de traces…

\*    \*    \*

Flo a grimpé en courant les escaliers de l'agence avant d'être foudroyée par la fureur de Ghislaine. Ça faisait quarante-cinq minutes qu'elle l'attendait, cette fois, le retard était trop important, c'était assez.

— Mais il n'y a personne chez les Sinclair, c'est pas grave, j'ai le temps d'arroser les plantes et de nourrir les chats, mon retard ne change rien pour eux.

Il changeait quelque chose pour Ghislaine, qui a parlé de récession, de baisse de volume de contrats et de coupes dans les subventions gouvernementales dont bénéficiait son agence, avant de mettre Flo à la porte.

— Il fallait que je congédie quelqu'un, ce sera toi. Tu as toi-même tissé la corde pour te pendre, a-t-elle lancé pendant que Flo enlevait l'uniforme qu'elle venait de porter pour la dernière fois.

Le soir, une fois les enfants couchés, après le brouhaha des bains, des biberons et des histoires à raconter, Phil s'est assis devant la télé, mais il ne l'a pas allumée. Il a dit :

— Demain, je retourne travailler.

— Tu ne trouves pas que c'est trop rapide ? Que tu risques de te refaire mal au dos en transportant des boîtes trop lourdes ?

Non, il ne le croyait pas. De toute façon, la saison

des déménagements tirait à sa fin. Son patron avait besoin de lui « *maintenant,* pas dans deux mois, tu comprends ». C'est maintenant qu'il y avait du travail. Et comme Flo venait de perdre son boulot, quel choix avait-il au juste? Si elle n'avait pas cette sale habitude d'arriver toujours en retard, elle aurait sans doute gardé son emploi, et il aurait pu s'offrir le luxe d'attendre que son dos soit vraiment guéri. Mais là, dans les circonstances, c'était impossible. Il porterait un corset, voilà tout, ce ne serait pas la première fois.

Étrangement, Flo ne ressentait ni colère ni dépit à la suite de son congédiement. Une idée avait surgi dans son esprit pendant qu'elle regardait le Chinois descendre les stores métalliques de son dépanneur, assise en tailleur sur le balcon.

Elle avait si souvent pris des décisions par défaut. Elle s'était presque toujours laissé porter par la vie, sans vraiment choisir. Mais là, elle avait le sentiment d'avoir trouvé la pièce centrale d'un casse-tête, celle qui permet de mettre tous les autres morceaux.

N'y avait-il pas, à deux rues de son ancienne agence, une cordonnerie à vendre ou à louer? Phil pouvait bien apprendre le métier, tout autant qu'elle. Elle était déjà une habile couturière, ça ne devait pas être si compliqué de passer des manteaux aux chaussures. Et puis, si le cordonnier savait que c'était *elle* qui voulait reprendre son commerce, peut-être lui offrirait-il des conditions avantageuses. Peut-être se souvenait-il d'elle, après tout.

Bien sûr, elle n'avait pas beaucoup d'économies,

Phil non plus. Pour tout dire, leurs comptes en banque étaient vides. Mais ce commerce existait depuis plus de quinze ans, les clients n'arrêtaient pas de faire tinter la cloche de l'entrée, ça devait être possible d'emprunter pour la mise de fonds, en se basant sur le chiffre d'affaires. Ou alors, le cordonnier accepterait peut-être de leur louer son échoppe, en attendant qu'ils soient capables de l'acheter.

Le lendemain matin, Flo a observé Farida, Mara, Laïla et les autres femmes de ménage arriver à l'agence, un peu avant 7 h 30, depuis le Dunkin' Donuts où elle sirotait un café en attendant l'ouverture de la cordonnerie.

Quand Zara l'a aperçue à la porte, elle a d'abord pensé qu'il y avait eu un problème avec les semelles de ses bottines.

— Non, ce n'est pas ça, j'aimerais vous parler, a dit Flo.

Zara l'a invitée à s'asseoir et lui a servi un thé fort et parfumé. Elle portait des sandales élégantes et exhalait une odeur subtile de fleur d'oranger. Elle ne semblait pas à sa place, comme le personnage d'une pièce de théâtre qui se serait trompé de décor.

— Si vous voulez, on appelle mon père…

Elle a activé son compte Skype et fait apparaître le visage du cordonnier sur l'écran de son ordinateur. Il semblait avoir rajeuni depuis la dernière fois que Flo l'avait vu. Mais peut-être qu'elle ne se souvenait pas bien. Ou peut-être que l'écran effaçait les marques du temps sur son visage.

Quand il a vu Flo, le cordonnier a dit : « Alors, vous l'avez retrouvé, votre coupon ? » Et son visage s'est illuminé d'un grand sourire. À partir de là, tout s'est déroulé très vite, comme une évidence. Il n'était pas encore tout à fait prêt à vendre, mais serait ravi de faire affaire avec elle, dans six mois ou un an, au plus tard. Ça laissait à Flo le temps de se familiariser avec le métier. De travailler un peu à la cordonnerie, le temps de voir si elle aimait ce boulot. Et de se préparer financièrement à la transaction. Évidemment, il était prêt à discuter des détails.

— Vous savez, ça me ferait plaisir que ce soit vous, j'ai regretté d'être parti sans vous dire au revoir.

Flo n'avait donc pas rêvé : quelque chose s'était bel et bien noué entre eux, pendant qu'il réparait ses sacs, sandales et chaussures de travail. Et maintenant, le cordonnier ne posait qu'une condition : que sa photo de famille, celle où on le voit entouré de sa femme et de ses enfants dans un jardin explosant de couleurs reste accrochée exactement au même endroit, sur le mur face à la porte.

— Vous comprenez ? C'est très important pour moi.

Flo s'est tournée une fois de plus vers la photo, pour s'immerger dans l'assurance tranquille de cette famille de classe moyenne, en apparence satisfaite de son sort, posant au milieu d'un décor chatoyant.

Une famille qui avait tout misé sur ce petit commerce situé dans une ville du bout du monde : Montréal. Et qui, aujourd'hui, n'existait pratiquement plus.

La cordonnerie serait bientôt à vendre. Et alors, cette photo resterait la seule trace de leur passage ici, l'ultime écho d'un geste de survie qui a mal tourné.

— Bien sûr que je comprends. Au fait, je m'appelle Flo. Et vous?

*Objets inanimés* (suite)

Le portail n'avait pas changé, avec ses deux battants de bois et sa lourde poignée métallique. Mais l'accès à l'immeuble était maintenant protégé par un code de sécurité, que je ne connaissais pas. J'ai tenté de composer le numéro de notre ancien appartement dans l'espoir que ses occupants accepteraient d'ouvrir la porte. Sans résultat.

J'ai alors tapé le numéro de l'appartement d'en face, puis les numéros de ceux de l'étage au-dessus et ceux de l'étage inférieur. J'y allais au hasard, après toutes ces années, je n'avais pas la moindre idée de l'identité de leurs occupants. Plusieurs avaient dû déménager, depuis le temps. Les noms et les visages de mes anciens amis et voisins se confondaient dans mes souvenirs.

À un moment, j'ai dû composer une combinaison de chiffres adéquate car une voix masculine a grésillé dans l'interphone. J'ai commencé à expliquer que j'avais grandi ici, dans cet immeuble, que je voulais simplement revoir les lieux de mon enfance. Pouvait-il m'ouvrir la porte ? Je me contenterais de monter les escaliers et de cogner à la porte de mon appartement, peut-être y aurait-il quelqu'un pour m'accueillir. « Vous comprenez ? » Mais l'homme a raccroché au milieu d'une phrase.

J'ai ressenti une soudaine lassitude : qu'est-ce que j'étais donc venu faire ici? Après tout, le passé n'avait pas besoin de se confronter à la réalité, il pouvait bien continuer à vivre dans mes souvenirs. À rester là où il était tapi depuis longtemps : dans le passé.

J'ai regardé autour de moi. Le montant métallique où, autrefois, les femmes venaient battre les tapis, était toujours là, derrière le petit carré de pelouse. Quand il n'y avait pas de tapis à dépoussiérer, les enfants l'utilisaient comme module de jeu pour y faire des pirouettes dans lesquelles j'excellais, autrefois. Aujourd'hui, je n'oserais même pas essayer.

J'avais conservé le souvenir d'un immense pommier jetant de l'ombre sur la cour, mais il avait dû être abattu. Ou bien n'était-il que le fruit de mon imagination? Disparus, également, les tas de charbon sous les balcons : l'immeuble avait dû être converti au chauffage électrique. Les climatiseurs se sont accrochés aux fenêtres comme des nids de guêpes aux branches d'un arbre.

Et le bac à sable, celui où nous construisions des royaumes qui disparaissaient à la première pluie? Celui où je crachais assidûment, convaincu que je ferais ainsi apparaître des vers de terre? Je n'arrivais pas à me souvenir de l'endroit précis où il se trouvait. Il avait dû être condamné, pour ajouter quelques places de stationnement.

Le muret de ciment, lui, était toujours là, exactement comme je me le rappelais, libéré de l'ombre du pommier, baignant dans la lumière crue de cette chaude journée de printemps. À l'époque, nous y passions des heures à nous exercer au lancer de canif, à jouer au ballon et aux osselets ou simplement, à nous raconter des histoires.

Je me suis donc assis sur ce muret, qui semblait s'être contracté, depuis le temps. Je ne savais pas trop ce que j'attendais. J'ai vu quelques personnes entrer et sortir de l'immeuble, j'ai entendu des klaxons et des rires provenant de la cour voisine. Une voix d'enfant a crié : « Maman, attends-moi. » Quand la mère a répondu, elle a crié mon prénom. « Olek ! Viens par ici, dépêche-toi. » Ce prénom était apparemment devenu très populaire, je l'entendais souvent quand je marchais dans les rues de la ville.

J'ai fixé le balcon d'où j'avais l'habitude d'appeler mes amis pour les inviter à aller jouer dans la cour. J'ai essayé de déceler des mouvements derrière le rideau opaque de ce qui avait déjà été la chambre de mes parents, et aussi la mienne et celle de ma sœur. Tout était immobile. Plombé par une chaleur exceptionnellement précoce – on n'était qu'à la mi-mai, pourtant la canicule était impitoyable –, abruti par le ronronnement des climatiseurs, j'ai fini par m'assoupir.

Le bruit retentissant d'une porte refermée avec vigueur m'a tiré du sommeil. Un gamin d'une dizaine d'années venait de surgir devant moi, projetant une ombre sur mon visage.

Il portait une chemise blanche un peu froissée et des culottes courtes qui laissaient voir des genoux couverts d'une constellation d'hématomes.

Il s'est retourné pour remonter la sangle de son cartable qui avait glissé sur son épaule. Puis il est revenu vers moi, avant de lancer : « Qu'est-ce que tu fais là ? »

Comment ça, ce que je faisais là ? J'étais venu revoir les lieux de mon enfance, c'est tout. Mais qu'est-ce qu'il me voulait ? Est-ce que j'avais des comptes à lui rendre ?

Ses lunettes à monture épaisse m'étaient étrangement familières. J'ai mis un moment avant de comprendre qu'elles ressemblaient à celles que je portais sur les photos de l'album familial. Le garçon avait la même allure débraillée que moi à son âge, les mêmes taches de rousseur sur les joues et le nez, et la même frange désordonnée qui ne cessait de retomber sur ses yeux.

La scène était irréelle : est-ce que j'aurais eu un jumeau secret, abandonné par mes parents, qui aurait oublié de grandir depuis notre départ ?

— Fais pas semblant, tu me reconnais, non ?

Le gamin se tenait droit devant moi et me dévisageait, avec une expression moitié ironique, moitié arrogante. Rien à voir avec l'enfant timide et craintif que je croyais avoir été.

Il a passé ses doigts dans sa frange dorée, s'est penché pour rattacher ses lacets, puis il a continué à me fixer comme s'il attendait quelque chose de moi.

J'ai dit le truc le plus banal qu'un adulte puisse lancer à un garçon qui le regarde de haut, dans la cour de la maison où il a vécu la meilleure partie de son enfance. Ou peut-être à n'importe quel enfant, n'importe où sur la planète.

— Comment t'appelles-tu ?

Il a éclaté de rire, puis il s'est ressaisi, il a posé son sac d'école sur le muret, l'a ouvert et en a extirpé un cahier à couverture verte, protégé par une pellicule de plastique. Il l'a brandi sous mon nez en disant : « Regarde ! »

C'était un cahier de mathématiques de cinquième année A, de l'école numéro 57 de Varsovie. Mon école. Et le propriétaire du cahier portait le même nom que moi. Les pages du cahier étaient barbouillées de dessins maladroits et de calculs qui se perdaient dans les taches d'encre. L'écriture était un peu carrée, chaotique, les lettres débordaient des lignes censées les contenir. Mais c'était bel et bien *mon* écriture.

— Tu me déçois, a dit le garçon. Tu étais plus futé dans le temps. Là, tu me parais un peu bouché. Moi, c'est toi, voilà tout. Enfin, une version de toi. Celle que tu aurais pu rester si tu n'étais pas parti. Peut-être.

De toute évidence, le petit morveux cherchait à me provoquer. Je n'avais aucun souvenir d'avoir défié un adulte, du moins pas à cet âge, pas avant l'adolescence. Pour qui se prenait-il pour me narguer de la sorte ? De quel droit se permettait-il de me juger ? Et que savait-il au juste de moi, de celui que j'étais devenu ?

J'aurais pu me montrer offusqué de son insolence. Mais ce n'est pas tous les jours que l'on a l'occasion de converser avec une version antérieure de soi-même. Je n'avais pas grand-chose d'autre à faire, aucun rendez-vous, personne à rencontrer dans cette ville où l'on ne m'attendait pas. Et où je m'étais rendu sous le coup d'une impulsion soudaine, après avoir ajouté quelques jours de vacances à un séjour professionnel à Berlin. J'étais déjà si près. Ça aurait été fou de ne pas en profiter pour venir ici, vingt-cinq ans plus tard. Une éternité plus tard, en réalité.

J'ai donc décidé de revisiter les lieux de mon enfance. Et voilà que j'y faisais face à une version miniature et baveuse de moi-même. J'ai décidé de jouer le jeu.

— Tu sembles trouver que j'ai mal vieilli. Mais c'est trop facile de voir les choses de cette façon. Comment peux-tu savoir ce que tu serais devenu, toi, si tu étais parti? Et ce que je serais devenu, moi, si j'étais resté?

Il a ri, comme il l'avait fait plus tôt, mais plus sèchement cette fois. Il avait bien raison : je continuais à établir une distinction entre lui et moi, comme si nous constituions deux entités différentes. Alors que nous n'étions que deux avatars de la même personne. En l'occurrence : moi. Pendant un instant, j'ai eu l'impression d'être confronté à un paradoxe inextricable, un mur intellectuellement infranchissable. J'aurais pu me lever et partir. Mais j'ai eu envie de savoir ce que le garçon avait à me dire. De comprendre la raison qui l'avait poussé à se présenter comme ça, devant moi, à l'ombre d'un pommier depuis longtemps abattu, et qui n'existe peut-être que dans mon souvenir.

— Tu as tort de douter de toi, il y a bien eu un pommier, ici, et avec les années, il avait fini par jeter de l'ombre sur toute la cour. Il était vraiment immense. Il a fallu le couper il y a trois ans. Il était malade, ses branches desséchées menaçaient de tomber. Beaucoup d'autres choses ont changé, ici, depuis ton départ, n'est-ce pas?

Au moins, là, il ne me jugeait plus. C'était le début

de quelque chose, l'amorce d'un dialogue. Je préférais le poursuivre sans parler de nous, je veux dire, de moi. Je décrivais de grands cercles autour de cette étrange rencontre, essayant de poser les questions les plus neutres possible. Depuis quand avait-on installé ce système de sécurité à code secret? Et le chauffage électrique? La concierge était-elle toujours là? Celle qui savait tout sur tout le monde et ne se gênait pas pour partager ses connaissances?

— Tu poses trop de questions. Ce pays n'est plus le même, tu le sais bien. Tu as suivi tout ça de loin, tu as bien pris soin de ne pas contribuer au changement. D'autres l'ont fait, tu sais. Ils sont revenus. Mais pas toi. Tu as fait celui que ça ne regarde pas.

C'était reparti pour les reproches. Après, nous nous sommes tus pendant quelques minutes, le gamin et moi. On se toisait tous les deux, en nous demandant sans doute comment poursuivre cette conversation. Il a mis la main dans sa poche, en a tiré une languette de gomme Wrigley, l'a déballée et l'a glissée dans sa bouche. Il s'est ensuite mis à la mâcher avec entrain.

Je lui ai demandé s'il savait qui habitait dans l'appartement que nous avions quitté vingt-cinq ans plus tôt, par un matin tellement pluvieux que j'avais longtemps gardé le souvenir d'un pays entier pleurant notre départ.

— Oui, je le sais, évidemment. C'est la famille d'un militaire, avec deux enfants. L'homme est austère, hautain, mais la femme, elle, est plutôt gentille. Ils ont reçu l'appartement après la mort de grand-maman. Elle est partie comme ça, d'un coup. Un matin, elle n'était plus là. C'était il y a sept ans. Tu t'en souviens? Quand je pense que tu n'es même pas venu pour les funérailles. C'était d'une tristesse.

Il avait hélas raison. J'adorais ma grand-mère. Mais je n'avais pas pris la peine d'aller à son enterrement. À l'époque, j'étais en pleins préparatifs pour des examens importants, ce n'était pas tout à fait impossible mais ça aurait exigé un effort d'organisation que je n'avais pas fourni. Je ne savais plus trop pourquoi. Mais ça ne servait à rien de regretter, il était trop tard.

— Ce n'est pas une question de regrets, c'est une question de ce que tu es devenu. Moi, je n'aurais jamais pu faire ça.

Il recommençait à me faire la morale. Puis, ça devenait confus, ces allers et retours entre *tu* et *moi*. Essayant de changer la direction que prenait la conversation, je lui ai demandé comment ça s'était passé, après notre départ, après que l'auto eut rejoint la rue, de l'autre côté de la porte cochère, sous la pluie battante.

Il a répondu que j'avais raté quelque chose. Vraiment. Des voisins s'étaient jetés sur les rares objets que nous avions laissés derrière nous. Les verres pour le thé. Le couvre-lit à fleurs. Une collection de cendriers. La bouteille de vodka à moitié vide, qui avait miraculeusement survécu à la soirée très arrosée qui avait marqué la veille de notre départ. Une soupière, une douzaine de verres à thé, de vieux vêtements abandonnés sur leurs cintres, faute de place. Tout ça, livré à nos voisins rapaces, des vautours se disputant des parcelles d'un cadavre encore chaud, sous le regard inexpressif de ma grand-mère, qui n'allait plus avoir besoin de grand-chose, une fois que nous serions partis… Elle avait fini par s'enfermer dans sa chambre, pour ne pas les voir fourrager partout, dans les garde-robes, les armoires…

— Une belle démonstration d'humanité, en effet, mais ne les juge pas trop vite, m'a enjoint le gamin. Tu oublies à quel point tout était inaccessible, à l'époque. Les queues devant les magasins. Les commerces réservés aux privilégiés. Bon, tu connais tout ça, mais de façon théorique, cérébrale. Tu ne peux pas te souvenir de l'angoisse des adultes devant les étagères vides, pour la seule raison que tu étais un enfant à cette époque. Ça ne te concernait pas. Tu n'as jamais souffert de la faim, après tout. Tu as été protégé…

Je commençais à en avoir assez de me faire infliger ses leçons de morale. J'avais dix ans quand mes parents ont décidé d'émigrer et personne ne m'avait demandé mon avis. Je n'étais pas revenu avant parce que ma vie était ailleurs, et que j'avais autre chose à faire, voilà tout. Ce n'était pas ma faute si je n'avais pas souffert de pénuries alimentaires et si je n'avais jamais dû déployer toute mon ingéniosité pour trouver du papier de toilette. Je n'avais aucune obligation morale envers ce pays, après tout. Tant mieux s'il avait fini par changer, bravo à tous ceux qui y avaient participé, mais manifestement, ils s'étaient bien passés de moi, alors…

La cloche de l'école a sonné au bout de la rue, interrompant ma litanie de justifications. Le gamin a jeté un coup d'œil à sa montre : il venait de rater les deux premiers cours du matin. Il pouvait encore attraper ceux qui suivraient la récréation. S'il se dépêchait, il aurait peut-être même le temps de jouer au ballon-chasseur ou d'agacer les filles, dans la cour de l'école, avant de retourner en classe.

J'avais une dernière faveur à lui demander : j'aurais vraiment voulu qu'il m'ouvre le portail de bois. Je voulais entrer dans cet immeuble, revoir l'escalier que j'avais monté et descendu en courant, tant de fois.

Mais avant que j'aie terminé de formuler ma demande, des déménageurs ont garé leur camion devant le portail. Ils l'ont ouvert et ont bloqué ses deux panneaux avec des blocs de pierre.

Deux gars aux bras musclés, les cheveux longs noués en queue de cheval, ont descendu une commode, un canapé fatigué, une table, des chaises. Quand je me suis retourné pour saluer le garçon, il était déjà parti. Évaporé, volatilisé. C'était comme si je ne l'avais jamais rencontré.

Pendant que les déménageurs s'échinaient à placer les meubles dans leur véhicule, j'ai glissé en bas du muret pour entrer dans le hall de l'immeuble. Il y régnait la même odeur de terre humide et de pommes de terre qu'autrefois.

J'ai grimpé en courant les trois étages qui menaient jusque chez moi. J'ai appuyé sur la sonnette. Une fois. Deux fois. Un bruit de pas derrière la porte. Comme des pantoufles de feutre qui glissent sur le plancher. Puis, une voix d'enfant : « Maman, viens ouvrir, il y a quelqu'un. »

La porte s'est ouverte sur une femme d'une quarantaine d'années. Elle portait un tablier couvert d'un nuage de farine. Une fillette blonde s'agrippait à sa jupe.

— Oui ? Je peux vous aider ?

J'ai expliqué que j'avais vécu là, autrefois, et que je voulais simplement revoir le décor de mon enfance. Elle m'a souri et m'a proposé de passer dans la cuisine. J'ai jeté un coup d'œil sur le couloir, avec sa rangée de patères, sur les portes vitrées qui menaient vers la chambre de ma grand-mère, et sur la pièce que j'avais partagée avec ma sœur et mes parents. Tout paraissait intact, exactement comme dans mon souvenir. C'était étrange et familier à la fois.

La femme m'a servi du thé et du gâteau aux prunes avec de la crème sure. Elle m'a raconté qu'elle habitait là depuis sept ans. Depuis la mort de ma grand-mère. C'était un bel appartement, bien situé et tout. Les enfants s'étaient fait plein d'amis dans la cour.

— Votre grand-mère était une femme bien, je ne l'ai pas connue, mais c'est ce que disent tous les voisins. Plusieurs m'ont aussi parlé de vous, de vos parents, de votre sœur…

Nous avons fait le tour de l'appartement, les chambres, la minuscule toilette, la baignoire à pieds, tout était comme avant, ils avaient même récupéré certains de nos anciens meubles, que j'ai immédiatement reconnus. Le lit à tiroir dans lequel je rangeais mes vêtements, *mon lit*, était toujours là, vingt-cinq ans plus tard.

De retour dans la cuisine, la femme a remis de l'eau

à bouillir puis elle m'a regardé attentivement et a lancé :

— Vous vous appelez Olek, n'est-ce pas ?

Elle est ressortie, je l'entendais qui s'affairait à fouiller dans le garde-robe de l'entrée. Tissus froissés, tintements métalliques et, au loin, le grincement d'un tramway dans la rue. J'ai pris une deuxième tranche de gâteau, à son insu.

Elle est revenue avec une boîte dans les mains. Sur le couvercle, quelqu'un avait scotché une feuille de papier avec mon nom.

— Je crois que votre grand-mère avait laissé ça pour vous. Nous l'avons découvert après avoir emménagé ici, nous n'avons pas osé jeter la boîte, mais nous n'avons rien fait non plus pour vous retrouver. Vous savez, ce n'était pas par indifférence ni par mauvaise foi, nous sommes tous trop occupés, c'est tout. Nous ne savions pas comment vous retrouver. J'en suis désolée...

Je l'ai immédiatement reconnue : c'était la vieille boîte où ma grand-mère rangeait ses boutons. Sous le couvercle, ils étaient tous là, mes anciens compagnons de jeu, soldats de toutes les guerres, qui m'avaient trahi le jour où j'avais appris que nous allions émigrer.

Transparents, opaques ou nacrés, ronds ou carrés, ils étaient tous là, jetés pêle-mêle, comme avant. J'ai remercié la femme, je lui ai serré la main, j'ai mis la boîte de boutons dans mon sac à dos et je suis reparti, le cœur beaucoup plus léger, tout à coup.

*Toute la beauté du monde*

Y a-t-il un moment précis où un amour meurt? Un instant marqué dans le temps par un avant et un après? Avant, on s'aimait. Maintenant, on ne s'aime plus. Mais que s'est-il donc passé entre les deux?

Un amour meurt-il comme le chêne abattu à la tronçonneuse qui s'effondre sur la forêt dans un concert de râles et de gémissements? Ou bien se désagrège-t-il progressivement, tel le vieux meuble qui se disloque de craquement en craquement, sous le poids des vases et des chandeliers, ou alors par la simple usure du temps?

Deux jours avant d'annoncer à Jacob qu'elle allait le quitter, Juliette l'avait rejoint dans le lit, chaude et nue. Elle s'était pressée contre son dos, avait glissé son pied entre les siens, enlacé sa hanche de sa cuisse. Il s'était retourné vers elle, leurs souffles s'étaient emmêlés et leurs corps avaient refait les gestes familiers et rassurants, les gestes qui étaient les leurs et qu'ils connaissaient par cœur.

Puis, ils s'étaient assoupis sans dire un mot. Quand il y repenserait, par la suite, Jacob se dirait qu'il aurait peut-être dû y déceler un avertissement. Juliette avait l'habitude de lui dire « Je t'aime, mon Jac » avant de s'endormir. Toujours ces mêmes mots tendres, toujours de la même façon, nuit après nuit depuis plus de quinze ans.

Cette fois-là, elle n'avait rien dit, il n'y avait eu que le souffle de sa respiration, de plus en plus régulière, de plus en plus profonde. Jacob n'y avait pas prêté attention. Il ne s'était pas non plus inquiété des longues soirées qu'elle passait seule devant son ordinateur depuis quelque temps. Ni de son regard flou quand il lui proposait de choisir entre la Turquie et la Grèce pour leurs prochaines vacances.

Jacob n'était pas du genre à essayer de décoder le sens caché du silence. Il était d'un naturel confiant. Et il croyait qu'ils vivraient toujours ensemble, elle et lui, Juliette et Jacob. Jule et Jac. Jule sans *s*. Jac sans *k*. C'étaient leurs sobriquets amoureux, résultat d'un baptême célébré à grandes rasades de rhum and coke sur le ponton d'un lac, il y avait des siècles de ça. Il ne se rappelait plus ni où ni quand.

Deux jours après cette nuit où ils avaient fait l'amour en silence, Jacob est rentré du travail pour trouver Juliette debout près de la porte, fébrile, prête à sortir. Enveloppée dans son foulard de cachemire bleu, avec sa veste cintrée, son pantalon de velours et ses bottes lacées noires, elle avait l'allure d'une conquérante, d'une Amazone s'élançant vers un nouveau combat. Quelque chose en elle lui était déjà étranger.

Ce que sa mémoire a sauvegardé de cette scène de rupture, ce sont des images précises et saccadées, sans lien les unes avec les autres, telle une série de cartes postales ou des photos dans un album. Juliette éteint nerveusement sa cigarette dans une feuille de papier aluminium qu'elle écrase ensuite dans sa main. Elle cache son visage derrière ses ongles recouverts d'un vernis mauve légèrement écaillé. Elle s'assoit, du bout des fesses, sur le coffre où ils avaient l'habitude de ranger leurs tuques et leurs mitaines, en hiver. Ce coffre qu'ils avaient acheté dans un marché aux puces, qu'ils avaient méticuleusement décapé et reverni, et qui leur avait servi de table de salon dans leur premier appartement…

Maintenant elle se redresse, elle arrange son foulard autour de son cou. À ses pieds, deux valises à roulettes, une grande et une petite. Et son sac d'ordinateur qu'elle suspend à son épaule. Elle lève la tête vers Jacob. Ses yeux sont enflés comme si elle avait pleuré. A-t-elle pleuré? Elle jette le papier contenant son mégot dans la poubelle. Depuis quand a-t-elle recommencé à fumer?

— Mais qu'est-ce qui passe? Que fais-tu là? Où vas-tu?

Au fond, il pressentait déjà la réponse. Mais quand elle a dit « Je te quitte, Jacob, toi et moi c'est fini, vraiment fini, tu comprends? », il n'a rien compris du tout. Les mots s'étaient vidés de leur sens, ce n'étaient plus que des sons. Un abysse venait de s'ouvrir sous ses pieds et il y était aspiré par une force irrépressible, la puissante attraction du néant.

Pendant un moment, il a voulu nier la réalité, non, ça ne se pouvait pas. Impossible. C'était du théâtre, une scène dont il comprendrait bientôt la signification.

— Voyons donc, tu ne peux pas faire ça? C'est une blague ou quoi? Qu'est-ce qui t'arrive? On avait prévu manger des tortellinis au pesto, ce soir. Justement, j'ai acheté du basilic…

Mais ce n'était pas une blague. Et pendant qu'il coulait à pic, pendant qu'il se couvrait de ridicule en s'évertuant à nier l'évidence, pendant qu'il tentait de la retenir en brandissant un bouquet de basilic aux feuilles déjà flétries, Juliette a soulevé ses deux valises au-dessus du seuil de la porte, elle les a déposées sur le trottoir, elle s'est retournée vers lui, a souri tristement, avant de répéter : « C'est vraiment fini, Jac. Ça fait des années que ça ne marche plus entre nous, j'ai longtemps essayé, mais ça ne fonctionne pas, tu as bien dû t'en rendre compte, non ? »

Elle était désolée, elle avait les larmes aux yeux. « Pourquoi partir quand ça nous fait pleurer, pourquoi faire l'amour deux jours avant de s'en aller, pourquoi ? » se demandait Jacob.

Puis il l'a vue remonter la rue, avec ses bottes lacées, son sac d'ordinateur et ses deux valises à roulettes, vers une berline blanche garée discrètement quelques maisons plus loin. Un homme a émergé du véhicule pour aider Juliette à placer ses bagages dans le coffre. Il l'a entourée de son bras, lui a ouvert la portière, côté passager. Il a contourné l'auto pour prendre place derrière le volant. Puis ils sont partis en faisant crisser les pneus, comme pour le narguer : « Regarde, regarde, je pars avec un autre. »

Fallait-il vraiment qu'elle lui inflige ça ? Elle n'aurait pas pu appeler un taxi ? L'auto a tourné à droite après le stop.

Jacob était anéanti. Plus de quinze ans de sa vie venaient de disparaître dans le crissement de pneus d'une berline blanche qui emportait Juliette et tous leurs souvenirs.

* * *

Les nuages forment des bandes effilochées qui s'espacent peu à peu, avant de se dissiper complètement. Par le hublot, Jacob aperçoit un motif de roc et de neige, comme une gravure abstraite, en noir et blanc. Ça lui rappelle la fois où il a survolé le Groenland, au retour d'un séjour en Irlande, avec Juliette.

Tiens, il vient de penser à Juliette pour la première fois depuis longtemps. Et il n'y a eu ni coup de poignard dans la poitrine ni vague de rage ou de tristesse. « Voilà un bon signe », se félicite Jacob, avant de ramener son regard vers l'horizon.

En observant avec attention, il est frappé par la diversité des formes qui se déploient sous l'appareil. Dessins monochromes, nés de la juxtaposition des textures et des remous tracés par le vent. Une femme grande et mince esquisse un salut de la main. Plus loin, un chien, un poulet, une immense tête de mouton, et même un crocodile, la queue relevée et la gueule grande ouverte.

L'ombre de l'avion plane au-dessus de ce bestiaire en s'agrandissant peu à peu : l'appareil s'apprête à se poser dans un village pour laisser descendre deux passagers, avant de reprendre son vol vers l'arrêt suivant.

Aupaluk, Kangiqsujuaq, Kangirsuk… Les noms des

villages inuits égrènent successivement leurs mystères. Partout, la même baraque préfabriquée en guise d'aérogare, la même piste en gravier, parfois flanquée d'un cimetière. À chaque décollage, l'agent de bord répète les mêmes consignes de sécurité, que plus personne n'écoute.

À la fin, ils ne sont plus que trois passagers : un Inuit à la peau ravagée, un Blanc dans la vingtaine qui a passé le voyage à jouer à Candy Crush sur une tablette électronique et lui, Jacob, immobile, le regard noyé dans le paysage.

Quand il a offert ses services à la Commission scolaire Kativik, trois mois plus tôt, il ne pensait pas que les choses iraient aussi vite. Cela faisait un an qu'ils ne vivaient plus ensemble, Juliette et lui. Un premier hiver sans elle, un premier printemps, un premier été, un premier automne : il avait bouclé le tour des saisons. La douleur qui l'avait anéanti au début s'était progressivement dissipée. Dans les semaines qui avaient suivi son départ, il y pensait du matin au soir. Chaque minute était pleine de son absence. Puis la peine s'était atténuée. Jacob ne pensait plus à Juliette qu'une fois par jour. Puis une fois par semaine.

Ils ne s'étaient jamais revus. Jacob avait préféré s'absenter quand elle était venue reprendre quelques meubles, la table en chêne, un miroir, un bureau, et le coffre en bois où ils rangeaient leurs foulards et leurs mitaines. Somme toute, pas grand-chose. La maison du propriétaire de la berline ne devait manquer de rien, pensait Jacob avec ressentiment.

La jalousie, la colère, le dépit affluaient encore parfois, mais par vagues de plus en plus ténues. Elle lui a écrit pour s'expliquer, il a commencé à lire la lettre, puis il s'est interrompu, à quoi bon ressasser tout ça. C'était le passé, maintenant. Il a enlevé des photos du babillard, jeté quelques cosmétiques qu'elle avait oubliés dans la salle de bains. Juliette a fini par devenir un concept presque abstrait, un fantôme.

Tout s'est apaisé avec le temps, mais tout est aussi devenu plus terne, plus gris. Jacob accomplissait machinalement les gestes attendus, il se levait, mangeait, nourrissait le chat – Juliette lui avait laissé le chat –, puis il marchait jusqu'à l'école, donnait des cours d'histoire et de géographie à des adolescents plus ou moins endormis, rejoignait parfois des amis pour prendre un verre après le boulot.

Mais c'était comme si un voile opaque s'était déposé sur sa vie, atténuant tous les éclats, la joie autant que la détresse.

Il avait trente-six ans. Personne ne l'attendait. Il n'attendait personne. En réalité, il n'avait envie de rien. Il vivait une vie de vieux. Et il buvait. De plus en plus tôt et de plus en plus souvent. Ça lui permettait de remplir le vide de ses soirées. Mais ça l'inquiétait, aussi. Beaucoup. Alors il calmait son inquiétude en buvant davantage.

Quand il a vu l'annonce pour un poste d'enseignant au Nunavik, il s'est dit : « Pourquoi pas. C'est peut-être précisément ce qu'il me faut. Partir, loin. Ailleurs. Oublier qui je suis. Me donner le droit de devenir quelqu'un d'autre, là où personne n'a jamais entendu parler de moi. Recommencer à zéro. »

Oui, c'était une bonne idée, la meilleure qu'il ait eue depuis des lustres. Alors, il a soumis sa candidature.

À partir de là, tout s'est enchaîné étonnamment vite. La commission scolaire a bien voulu retenir ses services. En principe, il devait partir en septembre. Mais une école de village venait de perdre, coup sur coup, son directeur et deux enseignants. Il restait quatre mois avant la fin de l'année scolaire. Était-il capable de partir tout de suite ? Enfin, dans les deux semaines ?

Il devrait s'arrêter une journée à Kuujjuaq, pour une mini formation, malheureusement le temps ne permettait pas de suivre la procédure complète. En raison de l'urgence, la commission s'occuperait de tout, il n'aurait pas à se soucier du déménagement, son loyer serait payé, tout ça. Et puis, ça lui permettrait de faire un essai, de voir s'il s'adapte bien au Grand Nord, si ce travail lui convient.

Le jour du coup de fil, Jacob avait vidé une bouteille de rouge à l'heure du lunch. Après, il s'était fait porter malade. De toute façon, il n'avait plus de cours à donner cet après-midi-là. Il était rentré chez lui honteux, dégoûté de lui-même. Sa vie glissait entre ses mains et il était incapable de la rattraper. Rien ne l'empêchait de faire sa valise, de trouver une famille d'accueil pour son chat et un remplaçant pour ses cours. Il y avait des ententes entre les commissions scolaires, les choses s'arrangeraient. Tout à coup, tout devenait possible. Et il n'avait rien à perdre. Il a dit oui.

\* \* \*

Le paysage arctique défile derrière le hublot, dessinant des traits de plus en plus précis à mesure que l'appareil se rapproche à nouveau du sol gelé.

Quand l'agent de bord reprend ses instructions, Jacob éclate de rire. Et reçoit un sourire complice en retour.

À l'approche du village, la baie se couvre de larges pellicules de glace, comme si elle avait été saupoudrée de confettis blancs. Plus loin, les blocs de neige évoquent des semelles gigantesques, telles les traces de pas d'un géant qui aurait arpenté cette étendue gelée.

Le voyage a été long et Jacob trompe son ennui en énumérant les couleurs et les formes, cherchant les mots précis pour décrire ce paysage vaste et inconnu.

Le ciel s'est déjà assombri et l'horizon se fond dans la nuit quand le pilote annonce la prochaine destination. « Ça y est, pense Jacob, dans quinze minutes, l'avion se posera sur la piste de *mon* village, je récupérerai mes bagages et je chercherai Elijah, l'employé de l'école censé m'attendre avec son pick-up. »

La veille de son départ, quand Jacob lui a demandé comment ils allaient se reconnaître, la responsable des ressources humaines de la commission scolaire a éclaté de rire. « Tu verras, tu n'auras pas de doutes. Cet aéroport, ce n'est pas Charles-de-Gaulle ni Heathrow... »

Le sol paraît déjà tout près quand l'avion fonce dans un épais brouillard, en grinçant et en tanguant. Jacob sent son cœur remonter dans sa poitrine. Une secousse particulièrement forte balaie la tablette où Jacob a placé son verre d'eau, son calepin et son manuel d'inuktitut.

« Relevez votre tablette et attachez votre ceinture », ordonne l'agent de bord, une fois de plus. Pendant quelques minutes, Jacob n'aperçoit plus qu'un amas de ouate informe et grise. Comme sa vie. Celle, du moins, qu'il vient de laisser derrière lui. Puis l'avion émerge du brouillard, à quelques dizaines de mètres du sol. Quand l'appareil se pose sur la piste cahoteuse, Jacob ne voit qu'un ciel sombre surplombant la neige pâle. Puis, une grappe de lumières qui vacillent faiblement au cœur de la nuit.

*   *   *

La salle d'attente de l'aérogare est déserte, à l'exception de trois jeunes femmes qui rigolent en jetant des coups d'œil en biais à Jacob, seul passager à descendre à cette escale. Il a attrapé sa valise sur le tarmac, luttant contre le vent glacial qui fouettait son visage et pénétrait violemment dans ses bronches.

Une fois à l'intérieur, la morsure du froid se dissipe progressivement. En attendant Elijah, Jacob sourit aux adolescentes qui le lorgnent avec curiosité. L'une d'entre elles porte un bébé dans son amauti brodé, une autre est peut-être déjà enceinte ou alors seulement un peu ronde.

La plus délurée l'aborde en anglais :

— *Are you the new teacher?*

Il dit oui, c'est moi, et elles s'esclaffent à nouveau. Cette fois, elles s'adressent à lui en français.

— Tu t'appelles Jacob? Nous, c'est Lizzie, Betki, Elisapie…

À travers leurs éclats de rire, Jacob saisit que l'une des filles, celle qui s'appelle Elisapie, fera partie de ses élèves. Les deux autres, incluant Lizzie, celle qui transporte un bébé dans son dos, ne vont plus à l'école. Enfin, pas vraiment.

Le fil de la conversation se tarit et Jacob se sent mal à l'aise devant ces gamines qui n'arrêtent pas de pouffer de rire. Dehors, l'avion qui dessert les villages du Nunavik vient de s'arracher du sol avec un grondement qui fait vibrer les murs de l'aérogare. Jacob décide de quitter le bâtiment, avec son sac de toile et la guitare qu'il a attrapée à la dernière minute, avant de quitter la maison. Il y a des années qu'il n'en a pas joué. Mais il pourrait s'y remettre, ici, il en aura le temps.

Au moment où Jacob franchit le seuil de l'aérogare, le pick-up d'Elijah freine brusquement devant lui en faisant voler la neige recouvrant le sol.

— Tu veux voir le village?

En voyant Jacob hésiter, Elijah précise :

— Nous avons le temps, ce ne sera pas bien long, une quinzaine de minutes, peut-être vingt, c'est petit ici. Le magasin Northern. La Coop. Les deux écoles. L'aréna. La clinique. La mairie. La maison de jeunes. Le centre communautaire. Le cimetière. Le poste de police. La décharge. C'est à peu près ça.

La visite guidée se déroule en silence, Elijah se

contente de nommer les bâtiments brièvement éclairés par les phares du camion.

La maison où logent les employés de l'école borde l'unique route qui traverse le village en longeant la baie. Elijah a du mal à ouvrir la porte d'entrée, la clé reste coincée dans la serrure. Pendant qu'il s'échine à la retirer, Jacob souffle dans ses mains pour se réchauffer et laisse ses yeux errer sur le village.

Devant une maison voisine, des enfants courent derrière un chien. Au loin, une motoneige file vers la baie qui se dissout dans la brume. Une lune presque pleine transperce les nuages, jetant son halo sur le sol couvert de neige.

Quand Jacob sautille pour se réchauffer, ses bottes font crisser la neige et l'écho de ce bruit se propage dans la nuit silencieuse. Pour la première fois depuis longtemps, il sent une vague de calme se propager dans sa poitrine. Étrangement, il se sent chez lui.

*   *   *

— Tu connais la règle des trois M ? lance Louis avec l'air du vieux routier qui prend plaisir à initier un novice.

Non, Jacob ne la connaît pas.

— Eh bien, il y a trois types de personnes qui viennent travailler ici, dans le Grand Nord. Les missionnaires. Les mercenaires. Et les mésadaptés… Alors, toi, t'es quoi ?

Ils sont attablés chez Louis, dont l'appartement fait

face à celui de Jacob, au deuxième étage de leur maison. Tous les logements se ressemblent : mêmes murs blancs, mêmes armoires de mélamine, tout est lisse, propre, fonctionnel et impersonnel.

Jacob a hérité de l'appartement abandonné par Corinne, l'enseignante qui est partie soudainement, trois semaines avant Noël.

Pourquoi ce départ hâtif? Les voisins de Jacob échangent des regards complices. À travers les bribes de leur conversation, il devine qu'elle a entretenu une liaison avec un employé de la mairie et que ça s'est mal terminé. Vraiment mal, tu comprends?

Autour de la table, il y a Estelle, qui enseigne les mathématiques aux enfants du primaire; Patricia, qui a pris temporairement les rênes de l'école, en attendant la nomination du prochain directeur; et Virginie, qui coordonne les services de garde.

Estelle est française et s'exprime avec un fort accent provençal. Patricia vient de Vancouver, Louis est un Acadien du Nouveau-Brunswick, Virginie vient de Montréal.

La conversation passe du français chantant d'Estelle au chiac de Louis, en passant par le français approximatif de Patricia. Les voisins de Jacob prennent plaisir à lui révéler les secrets du village, à lui parler des familles disloquées, des nuits de beuverie où tout le monde a peur de sortir de chez soi, du gars qui s'est suicidé, un mois plus tôt. « Bang, une balle de fusil dans la tête, c'est le troisième depuis le début de l'année scolaire, c'est un coup terrible pour le village. »

Sauf qu'il n'y a pas que ça. Si ce village se résumait à cette litanie d'horreurs, ils seraient tous partis depuis longtemps. Il y a les matchs de hockey, les soirées communautaires, les sorties à la chasse ou à la pêche. Il y a les Inuits qui rugissent comme des lions en cage, enfermés dans leurs maisons. Et puis, il y a la nature, où ils sont libres, sereins et beaux.

— T'as apporté de l'alcool?

Louis est le plus volubile du groupe, celui qui donne l'impression de tout savoir et de vouloir transmettre ses connaissances au nouveau venu. Il a un visage gras, percé de petits yeux rapprochés aux paupières tombantes. Lui, c'est un mésadapté mais il ne le sait pas, pense Jacob qui le trouve d'emblée antipathique.

— Non, je n'en ai pas apporté, c'est un village sec, non?

Comme dans la plupart des communautés du Nunavik, le commerce d'alcool est régi par des règles strictes. Pas de vente sur place. Possibilité de commander par avion un certain nombre de bouteilles de bière ou de vin. Mais pas de spiritueux, jamais. En réalité, vodka et gin de contrebande se vendent au prix fort, à trois cents ou quatre cents dollars la bouteille.

— Les jours où l'alcool rentre ici, c'est la folie. T'as vu la grande maison, au bout de la route, derrière le Northern? Elle appartient à la famille des contrebandiers. Tout le monde le sait mais personne n'en parle. C'est le plus gros tabou du village.

Une bouteille de vin rouge atterrit sur la table et la

soirée se poursuit tard dans la nuit, avec une profusion de conseils et d'anecdotes. Virginie parle peu et elle est la première à se lever pour rentrer chez elle. Avant de partir, elle se tourne vers Jacob.

— Ne les écoute pas trop, tu découvriras tout ça tôt ou tard. L'important, c'est de laisser le village venir à toi…

Quand Jacob traverse le corridor pour rentrer chez lui, une volée d'informations disparates tourbillonne dans sa tête. Incapable de dormir, il tire le rideau pour contempler la lune, maintenant haut perchée dans le ciel. Il la fixe longtemps avant de sombrer dans un sommeil lourd et sans rêves.

La première journée de classe est catastrophique. Des vingt-deux élèves inscrits, à peine huit se sont présentés. Il se répète mentalement leurs noms en essayant de les associer à un visage : Lydia, Noah, Lucassie… Il reconnaît Elisapie, l'une des adolescentes qui l'ont accueilli à l'aéroport.

Les élèves sont âgés de douze à seize ans. Certains dorment sur leur bureau, la tête recouverte d'un capuchon. D'autres le dévisagent avec défi, en mordillant un stylo. Il faut bien commencer quelque part. Après avoir scotché une carte du monde au mur, Jacob demande de repérer le Canada, le Québec, le Nunavik.

Le silence de la classe est interrompu par une série de pets retentissants. Noah plante ses yeux dans ceux de Jacob, sans s'excuser, au milieu d'un éclat de rire général. Il poursuit avec un enchaînement de rots. Nouvelle vague de rires. Aucun des élèves n'a pris la peine d'apporter un sac d'école, un stylo, un cahier. Les pupitres sont vides.

Quand la cloche sonne, Jacob ressent une violente envie de pleurer. Qu'est-ce qu'il est donc venu faire ici ? Quelle idée de s'exiler à deux mille kilomètres de Montréal, dans un village de neige et de glace, plongé dans la nuit polaire ?

— Ils font toujours ça au début, ils te testent, laisse tomber Louis quand ils se retrouvent à l'heure de la pause dans le bureau des professeurs. C'est toujours difficile, au début. Tu dois t'affirmer, tracer tes limites, établir un contact. Ça ira mieux, tu verras.

Une lueur de compassion filtre à travers son regard. « D'une manière ou d'une autre, nous sommes tous des éclopés », se dit Jacob. Il pense aussi qu'il a été trop rapide à poser un jugement sur son voisin. Louis fait de son mieux, comme tout le monde. « Comme moi, ou peut-être même mieux que moi. »

À l'école, les choses ne s'améliorent pas, ni le lendemain ni le jour d'après. Jacob s'accroche au programme scolaire, mais il se heurte au silence hostile de ses élèves. Il a beau lancer quelques mots en inuktitut ici et là, *ullaakut*-bonjour, *nakurmik*-merci, *atuarfik*-école. Ou essayer de les amadouer avec des blagues qui tombent à plat. Rien n'y fait. Il se sent maladroit et minable.

— Ils savent que tu repartiras bientôt, dans deux mois, ou dans deux ans. Alors, ils ne veulent pas s'attacher, laisse tomber Louis un soir où Jacob l'invite à partager un plat de spaghettis.

Un soir, Jacob enfile ses vêtements polaires pour se

fondre dans la nuit. Le froid mord sa peau, brûle ses yeux et anesthésie son cerveau. Ses pensées font place au vide. En traversant le village, il n'entend que son propre souffle et ses bottes qui chuintent sur la neige glacée. Puis, le son d'une voix criant son nom. « Jacob ! »

Virginie presse le pas pour le rejoindre. Ils marchent côte à côte sans parler jusqu'à l'extrémité du village, tels des astronautes échoués sur la lune, isolés dans leurs scaphandres respectifs. C'est une nuit sans lune et il fait si noir qu'ils distinguent à peine les traits de leurs visages. De retour devant leur maison, Virginie se tourne vers Jacob.

— Ici, il y a toute la beauté et toute la douleur du monde. C'est comme ça, tu n'y peux rien. Ne t'en demande pas trop. Arrête de trop vouloir. La première chose qu'on apprend dans le Nord, c'est l'humilité. Il faut lâcher prise. Sinon, tu craques.

Jacob aimerait lui répondre, mais Virginie repousse son capuchon, retire ses gants, secoue la neige de son manteau et disparaît derrière la porte de son appartement, sans le regarder.

Au septième cours, Jacob décide d'oublier la géographie. Ses tentatives de transmettre des connaissances à ses élèves assoupis n'aboutissent à rien. Il s'assoit sur un bureau, devant une classe aux trois quarts vide.

*There's a lady who's sure all that glitters is gold*
*And she's buying a stairway to heaven*
*When she gets there she knows, if the stores are all*
    *closed*
*With a word she can get what she came for.*

Quelque chose se passe, ce matin-là, entre Jacob et la poignée d'élèves qui l'écoutent sans dire un mot. Ce n'est pas encore gagné, Jacob le sait bien, mais au lieu du cours de géographie, au lieu des pays, des provinces et des territoires, Led Zeppelin lui permet d'ouvrir une toute petite porte entre eux et lui.

Plutôt que de faire le clown, Noah tend la main vers sa guitare. Il connaît déjà quelques accords et il en ponctue un rap récité en inuktitut. Quand il récite son texte, il est transformé. Ce n'est plus un gamin maigrichon au regard rieur toujours prêt à faire le pitre. Il y a en lui quelque chose de puissant et de tragique, un courant qui casse les barrières de leurs différences.

À un moment, ses copains commencent à bouger en cadence avec lui. Pour Jacob, plus rien n'existe alors que ce moment magique, ici, maintenant.

— C'est toi qui as écrit cette chanson, Noah?

— Oui

— Et tu y racontes quoi?

— Tout, je raconte tout.

— Mais je ne comprends pas ta langue.

— T'as qu'à apprendre.

— Tu m'apprendras, toi? Et moi, je te montrerai la guitare?

Il y a maintenant un point de départ, songe Jacob. Un fil, une direction, un lieu de contact. Le reste suivra. Ce ne sera pas facile, mais ça ira.

— Tu vas venir à la fête communautaire? lui demande Noah. C'est samedi, au gymnase de l'école.

Puis la cloche sonne et l'école se remplit d'un tintamarre de pas, de cris et de rires – la trame sonore familière de toutes les écoles, partout dans le monde.

*    *    *

Au fond du gymnase, Virginie est assise sur le sol au milieu d'un groupe de femmes et d'enfants. Elle plonge ses dents dans une tranche de phoque cru, un bambin lové entre ses genoux. Quand Virginie se penche vers lui pour lui tendre un morceau de viande, ses cheveux noirs recouvrent son front. De loin, elle ressemble à une Inuit.

Après avoir saisi la feuille de carton qui fait office d'assiette, Jacob scrute l'assistance à la recherche de visages connus. Il reconnaît Elisapie, puis Lizzie avec le bébé qui ballotte dans son dos. Louis et Estelle se tiennent debout, appuyés contre le mur. Noah court derrière une bande de garçons qui slaloment entre les pièces de viande étalées sur des bouts de carton.

Réfrénant l'envie de rejoindre Virginie qui ne semble pas l'avoir remarqué, Jacob finit par s'asseoir à côté d'un vieillard qui l'accueille en souriant de sa bouche édentée. Il lui sourit en retour. Les mots, ici, sont inutiles.

Puis il voit approcher Elijah, le chauffeur de l'école, mais aussi, comme il l'a appris au fil des semaines, son homme à tout faire. Il n'y a rien qu'Elijah ne sache réparer, aucune pièce de moteur, de pompe à eau ou de fusil qui résiste à sa dextérité.

— *Ai,* Jacob, content de te voir, lui lance Elijah en

lui tendant un plateau couvert de pièces d'omble chevalier.

Elisapie et ses copines accourent immédiatement vers Jacob, l'air défiant.

— T'as vu les têtes de poisson? Alors, tu vas manger les yeux? C'est le meilleur, regarde.

Elisapie vide les orbites d'un poisson à chair saumonée et gobe les globes oculaires avec délectation, comme si elle avalait des jujubes.

Ses copines rigolent. *Your turn, your turn.* Voilà, mon test se poursuit, se dit Jacob. Il surmonte son dégoût et extrait l'œil d'un poisson avec ses doigts. Dans sa bouche, il a la texture caoutchouteuse d'une huître. Ce n'est pas désagréable du tout. Avec un plaisir anticipé, il s'attaque au deuxième œil.

Satisfaites, les filles repartent en courant. Jacob décide de plonger dans la saveur douce et riche de chair sauvage et crue. Il se sent vivant, comme il ne s'était pas senti depuis une éternité.

Quand il lève les yeux de son plateau de carton, il aperçoit Virginie debout devant lui. Elle lui tend un papier mouchoir en souriant.

— C'est bon, n'est-ce pas? Tiens, essuie ta bouche…

\* \* \*

Peu à peu, Jacob se laisse porter par le rythme du village. Les élèves assistent à ses cours ou n'y assistent pas. Certains s'absentent parce qu'ils accompagnent leurs parents à la chasse ou à la pêche. D'autres traînent au village, de maison en maison, à la recherche d'un lieu où s'assoupir après une mauvaise nuit.

Un samedi, Elijah propose d'emmener Jacob à la chasse, là-bas, dans l'estuaire. Emmitouflé dans tous les vêtements chauds qu'il a apportés dans ses bagages, Jacob s'accroche aux poignées de la motoneige qui rebondit durement sur les blocs de glace avant d'atteindre la surface lisse de la baie.

En quelques minutes, les contours du village s'estompent derrière eux. Autour de Jacob il n'y a plus qu'une toile blanche déployée à l'infini.

Elijah se retourne de temps en temps vers lui pour s'assurer que tout va bien. Le vent froid a brûlé sa peau, faisant surgir des cercles noirs sur ses joues.

Remonter son capuchon, essuyer la brume qui recouvre ses lunettes protectrices, replacer ses gants, recouvrir sa bouche avec son cache-col : chacun des gestes mobilise toute la volonté de Jacob. Il n'avait jamais imaginé que l'on puisse avoir aussi froid.

Ils finissent par s'arrêter pour boire un thé préparé sur un réchaud, quelque part au milieu du grand rien. Elijah ne parle pas, il scrute l'horizon à la recherche de trous de phoques, immobile dans son lourd manteau en peau d'ours. Au fond de lui, Jacob ne rêve que d'une chose : se retrouver au chaud, à la maison. Il se sent comme un enfant égaré qui a perdu les clés de chez lui. Elijah, lui, est le maître du monde.

L'expédition est infructueuse et, sur le chemin du retour, Jacob se rend compte qu'il a perdu toute notion du temps. Tout son être s'est figé dans le froid. Quand Elijah le dépose devant la maison des enseignants, il ne parvient plus à sourire. Il a tout juste la force de dire « merci, à lundi ». Elijah le salue en lui serrant la main, puis il fait pétarader le moteur de sa motoneige et repart vers la baie.

*   *   *

— Aujourd'hui, les chèques de la compagnie minière arrivent au village. Attends-toi à une nuit mouvementée…

Louis lance cet avertissement le soir d'un repas commun, après que Jacob a passé une heure à jouer de la guitare avec Noah, en échange de quelques mots d'inuktitut.

« Cet enfant a la musique dans le sang », se réjouit Jacob. Mais cela ne sert à rien de lui expliquer les règles des harmonies ou de lui enseigner le solfège. Il regarde Jacob enchaîner les accords, les sourcils froncés, dans un état de concentration absolue. Puis, il place ses doigts et frappe les cordes en l'imitant. Il progresse à une vitesse fascinante.

Une amitié s'est progressivement développée entre Jacob et Noah, un lien cimenté par les sons et les mots, mais qui va bien au-delà de la musique. Jacob se reconnaît un peu dans cet enfant chétif qui fait le clown pour prendre sa place et lutte pour surmonter sa fragilité. Derrière ses simagrées, derrière ses stratégies de survie, derrière ses chansons, Jacob retrouve une difficulté familière à trouver son chemin. Et cette question tout aussi familière : « Je coule ou je rebondis ? »

Virginie a invité Jacob à partager une soupe et des sandwiches. Ces nuits-là, celles qui suivent la distribution des redevances minières, elle préfère ne pas rester seule. Ses réserves de vin sont épuisées, mais elle lui servira de la tisane ou du thé du Labrador.

Jacob ne boit presque plus, maintenant. Bizarrement, son désir d'alcool s'est dissipé dans ce village à la beauté rude, sans bistrots ni restaurants.

Le soleil commence à rosir au-dessus de la baie quand Virginie pose les bols de soupe fumante sur la table. La conversation tombe sur Noah, dont la mère travaille à la garderie, avec Virginie. Jacob ignore presque tout de sa vie. Dans quelle famille a-t-il grandi ? Qui sont ses parents ? Virginie en sait sans doute plus que lui.

Mais entre eux, il y a plus que de la curiosité. Depuis qu'ils se sont croisés dans le gymnase de l'école, depuis qu'il l'a vue entourée de femmes et de bambins, depuis qu'elle lui a parlé de la beauté et de la douleur de ce village du bout du monde, une complicité s'est nouée entre Jacob et Virginie. Il apprécie son calme et sa sagesse, sa manière d'accepter ce que la vie peut leur offrir de poignant et de merveilleux.

— Tu le connais bien, Noah ?

— Sa mère est en fait sa tante, c'est la sœur de sa mère. Elle s'appelle Mary. Il est courant, chez les Inuits, de donner un enfant en adoption à sa sœur. Le père de Noah n'est donc pas son père biologique, mais le compagnon de Mary. Il s'appelle Johnny.

— Et ils sont comment, Mary et Johnny ?

— Lui, il travaille à la Coop, il s'occupe aussi des permis de chasse et de pêche au village, c'est quelqu'un de bien. Sauf quand il boit. Parfois, après une nuit trop dure, Mary ne se présente pas au travail, pendant deux ou trois jours. Et quand elle vient, elle porte des lunettes fumées.

Un jour, Mary a demandé à Virginie si son homme la battait. Quand celle-ci a répondu que jamais de toute sa vie un homme n'avait levé la main sur elle, Mary a éclaté de rire.

— Tu comprends ? Elle n'a pas cru ce que je disais, comme si c'était impossible… Pour elle, c'était une blague.

Il fait déjà nuit quand les premiers tirs éclatent, explosant en pétarades sporadiques, tandis que les quatre-roues et les motoneiges vrombissent comme des guêpes enragées en quadrillant le village.

Une collègue de Virginie téléphone pour s'assurer qu'elle se trouve bien à la maison. « Ne sors pas, oublie ta promenade quotidienne, c'est une nuit d'enfer… »

Virginie et Jacob parlent longtemps, cette nuit-là. Le temps que les quatre-roues cessent de bourdonner, que les tirs et les cris s'arrêtent et que le village s'apaise. Au petit matin, quand le soleil commence à émerger au fond de la baie, Virginie prend la main de Jacob pour lui dire qu'il ne faut pas avoir peur. Qu'on peut survivre à tout. Elle-même a vécu des choses. Elle lui racontera un jour.

— N'oublie pas, toute la beauté et toute la douleur du monde. Seulement, parfois, on ne voit que la douleur.

* * *

Au sortir de cette nuit de folie, tout le village a la gueule de bois. La moitié des employés et des élèves de l'école manquent à l'appel. Ceux qui réussissent à s'extirper du lit ont les yeux cernés, le regard sombre. Personne n'a vraiment dormi. Et au cœur de cette nuit, dans un accès de délire, Johnny a tué Mary.

En arrivant à l'école, Jacob trouve Noah recroquevillé sur une chaise, dans le bureau des enseignants, le regard vide, le corps frissonnant. Quand Jacob lui présente une tasse de chocolat chaud, le garçon reste un long moment immobile, à fixer la tasse fumante. Il ne jette même pas un regard sur la guitare que lui tend l'enseignant dans l'espoir naïf que la musique lui permettra d'exorciser son cauchemar.

Les classes n'ont toujours pas commencé quand deux agents en uniforme se présentent à l'école pour venir chercher Noah. Il est le seul témoin du meurtre. Ils ont des questions à lui poser. Il se laisse emmener sans réagir.

Jacob passe le reste de la journée dans un état second. On a beau savoir que le Nord est impitoyable, que les enfants auxquels on s'attache vivent des situations terribles, ce que l'on sait avec notre tête ne nous prémunit pas contre nos émotions. Jacob n'a pas la force tranquille de Virginie. Il n'est plus sûr d'avoir bien fait de venir ici. Pour tout dire, il n'est plus sûr de rien.

À la sortie de l'école, il décide de frapper à la porte de Virginie. Il vient d'être témoin de toute la douleur du monde. Il ressent un besoin impérieux de beauté.

Virginie n'a pas travaillé, ce jour-là. La garderie n'a pas ouvert ses portes, aucune monitrice ne s'étant présentée au travail. Comme si tout le village avait cessé de respirer, après ce déchaînement de fureur.

— T'es au courant, pour Noah?

Bien sûr, elle sait. Tout se sait dans ce village du bout du monde où les nouvelles voyagent le long de la baie, de la Coop jusqu'au Northern, en passant par l'église et l'aréna. Les tragédies y frappent par ricochets, poussant leurs ondes entre frères, sœurs, cousins, tantes et amis. Elles viennent par cycles. Depuis un an, il y avait eu deux suicides, un meurtre, une noyade…

Comment fait-elle pour supporter ça? Jacob n'arrête pas de revivre cette nuit, de penser à Noah, à ses yeux cernés, à son corps secoué de frissons. Est-ce possible de s'habituer à tous ces malheurs?

— Il y a un roman écrit par un écrivain inuit. *Le Harpon du chasseur.* C'est une histoire de chasse à l'ours qui tourne mal. Une histoire rude, qui oppose la nature dans ce qu'elle a de plus sauvage à des hommes qui se battent de toutes leurs forces. Mais qui perdent, à la fin. Tu vois Jacob, la beauté, elle est dans ce combat. C'est ça que j'ai trouvé ici. J'arrivais de loin, tu sais. J'ai traîné des images insoutenables sur des îles paradisiaques sans jamais réussir à m'en débarrasser. Et ici, bizarrement, j'ai recommencé à respirer.

Une odeur de café se répand dans le salon. Virginie remplit deux tasses, elle les dispose sur un plateau, avec un pot de lait, des carrés de sucre, des biscuits gaufrés au chocolat. Dehors, le soleil pâle amorce sa plongée vers la baie. Moteur de camion qui cafouille, cri d'enfant, chien qui aboie : le village émerge doucement de sa torpeur.

Pendant un moment, ils se taisent. Debout contre la fenêtre, les yeux tournés vers la baie, Virginie lui raconte l'attentat, les hommes en noir, l'odeur de la poudre, sa fuite sous les tables, la peur de mourir, et ce sixième sens qui la poussait vers la chambre froide, cette voix qui lui donnait des ordres, entre deux salves.

Puis, elle raconte le réduit à légumes et le garçon aux yeux charbon avec sa veste bourrée d'explosifs. Le garçon qui a ri en faisant des grimaces avant d'appuyer sur le détonateur.

Trois années se sont écoulées, depuis, mais il lui arrive encore de revoir cette scène dans son esprit. De se la rejouer mentalement en se demandant : « Est-ce que j'aurais pu agir autrement ? Est-ce que j'aurais pu faire quelque chose ? Prévenir ? Empêcher des morts ? »

Après, elle n'a plus été capable d'écrire son blogue gastronomique. Qui se soucie de ce qu'on mange quand des fous peuvent entrer n'importe où pour tuer n'importe qui. D'autres rescapés s'étaient au contraire accrochés aux symboles du plaisir, de la joie de vivre, de tout ce que les terroristes avaient voulu assassiner dans leur délire. Mais pas elle, pas Virginie. Tout lui paraissait insensé, vide, inutile.

— Tu vois, je suis une éclopée, comme tant d'autres…

Après quelques mois de dérive, elle a fini par atterrir ici, au nord du 55e parallèle, dans ce village improbable surgi au milieu de nulle part. Ses démons sont restés deux mille kilomètres derrière elle. Non, ce n'était pas une façon de racheter sa faute. Plutôt une question d'authenticité. Elle était devenue allergique aux artifices, à la futilité. Ici tout était vrai. Le drame comme la beauté. Bien sûr, elle pouvait apporter sa contribution. Mais elle recevait bien plus qu'elle ne donnait.

— Je te le jure, Jacob. Montréal me manque parfois. Mais quand je rentre dans le Sud, après quelques jours, j'étouffe. Un jour, j'y retournerai pour de bon, sans doute. Mais pour l'instant, ma vie est ici.

En tirant le store pour faire entrer les derniers rayons de soleil dans le salon, Virginie s'immobilise : qu'est-il arrivé à Noah pendant qu'elle racontait son histoire, oubliant tout ?

Ils ignorent si l'interrogatoire est terminé, mais si c'est le cas, où a-t-il pu se réfugier, après ? Chez lui, dans une maison vide, maculée de sang et de traces de lutte ? Sinon, où ?

— Viens Jacob, allons le chercher.

Trois kilomètres à peine séparent les deux extrémités du village. Ils vont de maison en maison, frappent aux portes, demandant si quelqu'un a vu le garçon. À la porte de l'école, ils croisent Elijah qui croit avoir vu

Noah foncer sur une motoneige, le capuchon flottant sur ses épaules, poussé par le vent.

Arrivés sur la berge, Jacob et Virginie l'aperçoivent de loin, sa silhouette noire découpée contre la masse sombre du fjord. Ils crient contre le vent, l'appellent : « Noah, Noah, attends-nous. » L'air froid fouette leurs cous découverts.

Mais le garçon s'élance vers le soleil qui éclabousse la baie de sa lumière orangée, il roule vers le rétrécissement où la glace est souvent fragile.

— Noah, reviens ! Reviens !

Mais la baie les engloutit tous deux, Noah et sa motoneige.

\* \* \*

Y a-t-il un moment où un amour naît ? Un instant marqué dans le temps par un avant et un après ? Tel un geyser qui explose, un volcan qui projette son feu au-dessus du cratère. Ou cela arrive-t-il plutôt par petites touches se déposant l'une après l'autre avec la délicatesse d'une aquarelle. Comme une fleur qui s'ouvre, un pétale à la fois ?

Les chemins de Jacob et Virginie se sont croisés grâce à une série d'improbables hasards. Si Virginie n'avait pas assisté à ce congrès de gastronomie internationale, le jour de l'attentat. Si elle n'avait pas rampé jusqu'à la chambre froide. Si elle ne s'était pas accrochée au regard sombre d'un adolescent kamikaze.

Si Juliette n'avait pas rencontré l'homme à la berline

blanche, si elle n'avait pas décidé de quitter Jacob, deux jours après s'être glissée dans son dos, chaude et nue.

Si rien de tout cela ne s'était produit, Virginie et Jacob ne se seraient vraisemblablement jamais rencontrés. Ils n'auraient pas passé ensemble la nuit où le village est tombé sur la tête, ils n'auraient pas connu Noah et ils n'auraient pas hurlé contre le vent pour le sauver.

Ils n'auraient pas non plus vu Elijah accourir avec des voisins, et progresser doucement sur la glace pour atteindre le trou d'eau et ramener le garçon à la surface.

Ils n'auraient pas vu que Noah grelottait, que sa peau était mauve de froid mais qu'il était vivant. Ils ne l'auraient pas vu recommencer à sourire et à chanter, avec plus de force et de gravité qu'avant.

Mais tout cela est arrivé. Et cette histoire, maintenant leur appartient, à tous les deux.

# Table des matières

CRÉDITS ET REMERCIEMENTS

Les Éditions du Boréal remercient le Conseil des arts du Canada
pour son soutien financier ainsi que le Fonds du livre
du Canada (FLC).
Canada

Les Éditions du Boréal sont inscrites au Programme d'aide
aux entreprises du livre et de l'édition spécialisée de la SODEC
et bénéficient du Programme de crédit d'impôt pour l'édition
de livres du gouvernement du Québec.
Québec ⬛⬛

L'auteur remercie le Conseil des arts et des lettres du Québec
pour sa contribution financière à l'écriture de cet ouvrage.

Illustration de la couverture : Julie Larocque

Ce livre a été imprimé sur du papier 100 %
postconsommation, traité sans chlore, certifié ÉcoLogo
et fabriqué dans une usine fonctionnant au biogaz.

MISE EN PAGES ET TYPOGRAPHIE :
LES ÉDITIONS DU BORÉAL

ACHEVÉ D'IMPRIMER EN MARS 2016
SUR LES PRESSES DE MARQUIS IMPRIMEUR
À LOUISEVILLE (QUÉBEC).